人の心を動かす話し方

和田裕美

廣済堂出版

はじめに

私は人からどう思われるかを非常に気にするほうなので、進んで自分の実績を言うのは苦手です。自慢する人を嫌うのは世界共通だからです。

けれど、この本ではある意図のもと、あえて冒頭から自分の実績をひけらかしたいと思います。

営業時代の私の年収は7000万円ほどで、長者番付けにも名前が載っていました。

世界142カ国中、第2位の成績を出し、所属していた会社の本社正社員としては最年少かつ女性で唯一のセールスプロモーション部長に抜擢されました。

そして現在、書いた本は60冊以上、累計220万部を超えています。

さらに私は女性ですが、男性に有利なビジネス界でなんの後ろ盾もなく、独立後も15年間一度の赤字もなく、順調にビジネスを継続することができています。

また、ある女子大学のキャリア形成学科客員教授もやっていて、書いた絵本は小学

校の道徳の教科書に選ばれています。NHK・Eテレ『芸人先生』にレギュラー出演もしています。

でも、私は人一倍努力したわけではなく、行動量が人より多かったわけでもなく、勉強がずば抜けてできたわけでもないという、とくに目立つ要素はなく、おまけに引っ込み思案ときています。

「なんで和田裕美にそれができたのか？」

多くの人が首をかしげるわけですが、それこそが私が**「人の心を動かす話し方」**を身につけているからこそなのです。

もし、あなたが、
人から好かれて信頼されたい
もっと稼げるようになりたい

多くの人から愛されたい
賞賛と評価をもらいたい
自分を好きになりたい
……と思っているのなら、私は心の底から「人の心を動かす話し方」を身につけることをお勧めします。

なぜかと言うと、**「話し方」はあなたの一生に関わってくる**からです。

さて、いつもの私ではありえないくらい、勇気を出して実績を自慢げに語りました。
まさに嫌われる勇気を持って何度も書き直した、この「はじめに」ですが、冒頭で書いた「ある意図」とは何だと思いますか？
実は、**あえて実績を書いたのも、「人の心を動かす話し方」の大事な要素**なのです。これは本文で説明します。

「人の心を動かす話し方」とは何か

当たり前のことですが、本書でお伝えする「人の心を動かす」とは、あくまでもポジティブな方向に動かすということです。

怖がらせたり、悲しくさせたり、怒らせたりという、ネガティブな方向に動かすことでは決してありません。

目の前の人がもっと自分を好きになって、より元気になり、前向きな決意ができて、さらに行動していけるようになってもらうための話し方です。

ですから、本書の正しいタイトルは『人の心を前向きに動かす話し方』なのですが、ちょっと長くなってしまうので「前向き」の部分をあえて省いています。

その点を共通認識として読み進めてください。

人の気持ちが読めない人は成功しない

営業という仕事を通して1万人近い人と会話をしてきた私ですが、その中でわかったことがあります。

それは、**「どんな場面でも人は何かを〝求めている〟」**ということ。

この〝求めている〟ものが何なのかを読み解くことができるようになると、人の心がわかり、その人が求めている言葉を発することができるようになります。

求めているものは、人やシーンによって、あるいはその人の心の状態や環境によって変化することもありますが、たいていの場合は「こんなふうになりたい」「これが欲しい」という欲望だったり、「この問題を解決したい」という答えだったりします。

また、人によっては自由を欲しがる人もいるし、反対に安定を求める人もいます。

あなたの〝求めているもの〟は何でしょうか？

もし、目の前にいる人がそれを叶える方法を教えてくれたり、それらの問題を解決してくれると言ったら、あなたはその言葉に少なからず興味を抱き、影響を受けます。そして心を動かされるでしょう。

だからこそ、**あなたが「人の心を動かしたい」と思うのなら、まず「この人が〝求めている〟ものは何なのか？」を知る必要があるの**です。

占い師でもない私にできることは、リアルな実践方法のみですが、人にはたくさんの共通点がありますから、かなりの人に効果を発揮するはずです。

また、本書の内容は、私の運営する「人に好かれて人を動かす話し方教室」（旧「人に好かれる話し方教室」）において、過去10年延べ1万人以上の生徒さんに学んでいただき、その方たちを転職・起業・結婚・作家デビューなどあらゆる結果へと導いた、実績あるノウハウを厳選して紹介しています。

本書があなたが「人の心を動かす」お手伝いとなりますように。

和田裕美

人の心を動かす話し方――目次

はじめに……001

◎「人の心を動かす話し方」とは何か
◎人の気持ちが読めない人は成功しない

1章 空気を読んで空気をつくる

「心を読む」にはどうすればいい？……019
◎空気を読んで、空気をつくる

あなたの「空気」が漏れている！――「空気」ってそもそも何？……021

「空気は読む」のは何のため？……024
◎「空気を読む」だけでは心は動かせない
◎「自分のため」に空気を読むから疲れてしまう！

◉ 読むべきは「相手のため」の空気
◉ 空気を読むと、誰かを救うことができる
◉ 営業マンにありがちな「心が離れる話し方」

空気はどうやって読めばいい？ …… 035
◉ 自信がないと空気は読めない
◉ 空気を読むときは、まず情報を手に入れる

空気なんて読みたくない人はどうすればいい？ …… 042
◉ 自分から能動的に世界を変える！

自分の空気を知る …… 048
◉ 無意識を意識して「イヤなこと」を言語化する
◉ 多くの人が苦手な人ってどんな人？

動作が変われば空気も変わる
――無意識に不安顔になってしまうのはなぜ？ …… 056
◉ 楽しい言葉が楽しい空気をつくる

自分の空気をつくる方法 061

2章 空気をつくる話し方

なぜ、聞き上手であることやほめ言葉が重要なのか？ 071
◉人は自分の話を聞いてくれる人が好き
「雑談力」で人との距離をぐっと縮める 074
◉「いきなり本題」になってしまうのはなぜ？
「雑談力」を身につける簡単な方法 079
◉①「今ここトーク」——話題なんて気にしない
◉②「情報収集トーク」——自分に興味がある人に人は近寄る
◉初対面でも話題ができる！
信頼をより深くするには、聞くと話すは「3対1」 092
◉人はマルチタスクなんかできない

◉「自分のことを好きになってくれる人なら……」という心理を生み出そう
◉聞いて、聞いて、聞いて、話す
◉聞き上手を意識しすぎてもダメ
◉たくさんスラスラ話さなくていい

聞き上手以外にあなたの好感度を上げる3つの方法 …… 102

◉①ほめる
◉②助言を求める
◉③感謝する

「ファンスタンス」で誤解を招くのを防ぐ …… 110

◉最初からでなくても、次からの〝ファン〟でいい

自分のことを話すときは「欠点」から …… 114

◉好かれる人は「マイナス自己開示」をしている
◉「マイナス自己開示」は相手の気持ちをラクにさせる
◉自己否定感が強い日本人だから有効
◉欠点から伝えることは有利になる

◉「あえて反論」で立ち位置を変える
◉完璧はなんかしっくりこない
◉欠点も幸せアピールも、伝え方ひとつですべて変わる
◉幸せアピールは引き算で！

「プロフィール効果」を最大限利用する……131
◉プロフィールに実績を書くのは「自慢」ではなくて「証明」
◉書かれている「自慢できること」が「マイナス自己開示」をさらに引き立てる

3章 相手のイエスがどんどんもらえる秘訣

人の心を動かすには「イエス」を積み上げる！……140
◉「そうですね！」が返ってくる話し方
◉いいアイデアも肯定し続けることで生まれてくる
◉イエスがもらえる3つの和田式質問
◉聞き上手が使う「逆・イエスセット法」

質問話法を使ったトークのしかた……149
◉意地でも質問で返す！
◉密会現場をスクープされたタレントは質問話法でうまく逃れている
◉質問話法で同意を導く
◉質問者が会話の主導権を握る
言葉になっていない相手の感情を探る……159
◉1人妄想トレーニング
◉あえてネガティブな要素を探る
◉マイナスはプラスになる
相手の悩みを想像してみる……164
◉人の悩みはエンドレス
◉立ち位置チェンジで妄想する
何事もまずは受けとめてから……171
◉いきなりの反論はしない

◉まずは肯定してから提案する
◉「でも」を「だから」に変える
自分の中のネガティブマインドとどう付き合う？ 179
◉へこんだときは「プラス自問」をする
相手の承認欲求を満たしてあげよう 181
◉承認欲求は2つある！
◉承認欲求を満たすにはどうすればいい？
◉自分で自分を認めてあげよう

4章 心が動いて行動したくなる和田式話法の秘密

心が動く話法の秘密 190
◉返報性の法則
◉希少性の法則

◉バンドワゴン効果
◉和田式バンドワゴン法――「大さじ・小さじ話法」
人に影響する言葉は「メタファー」にある 202
◉「ボキャたとえば力」を使う
わき道話法であえて脱線する 207
◉「そういえば」を使う
相手の背中を押す話し方 212
◉断定話法で、スパッと言い切る
◉類推話法＝「人の力を借りまくれ」
「振り幅」トークで心を動かす 218
◉話に振り幅をつけると「心の振り子」も動く
結局大事なのは「あなたのため」という気持ち 222
◉話法にプラスするものは？

5章

次につながる人間関係を築く会話術

何か動かしたいなら「次回」を意識する …… 227
◉「ノー」でも「感謝」を忘れないようにする
これからの未来の話をしよう …… 230
◉「未来会話」が行動まで変える
◉「退院したら旅行に行こうね」
◉ワクワクする未来をつくる
未来を広げて語ってみよう …… 237
◉「ふくらましトーク」でもっと価値を上げる
◉相手のモチベーションを上げるには？
伝わらないと動かない …… 242
◉言葉の連想ゲームをしよう

終わりよければすべてよし！……247
◉なにより大事な「伝える気持ち」
◉ハッピーエンドで会話を終える

まだ終わらない「おわりに」……251

1章

空気を読んで空気をつくる

相手の空気を「読む」。
自分の空気を「つくる」。
この2つが合わさったとき、
自然と良い関係が生まれます。

「心を読む」にはどうすればいい？

「はじめに」で、「人が〝求めている〟ものが何なのかを読み解くことができるようになると、人の心がわかり、その人が求めている言葉を発することができるようになる」と書きました。

けれど、多くの人は遠慮や見栄があるので、その〝求めている〟ものを口にしません。

本当はさみしいのに「さみしくなんかない」と言ったり、本当は怒っているのに「ぜんぜん平気ですよ」と笑ったりします。また、ときには封印しすぎて、自分の本音に気づいてない人すらいます。

そこで最初に必要なのが、そんな言葉になっていない欲望を見つけること。

そのためには、まずは、**「空気を読む」**のです。

空気を読んで、空気をつくる

前述のように、多くの人は本音をなかなか言いませんが、言っていなくてもその本音が見えるときがあります。

それは、相手の内側から漂って出てくる「空気」を読んだときです。

空気を読むことで、相手がしてほしいことや、相手が求める言葉がわかるようになります。

そして、心の真ん中に届く言葉を使えるようになります。

さらに、自分から出ている空気を知ることで、自分の感情をコントロールし、相手に影響を与える空気をつくることもできるのです。

ですが、この「空気」というのは**「無意識の領域」**なので、ちょっとわかりにくいかもしれません。次から詳しく説明していきましょう。

あなたの「空気」が漏れている！
——「空気」ってそもそも何？

「空気を読む」と言いましたが、そもそもここで言う「空気」とは何でしょうか？

ある日、蕎麦屋の隅っこで1人の女性が日本酒と蕎麦を頼んでいるのを、なんとなく視界に入ったので見ていました。

彼女は誰と話すわけでもないのに、なんともおいしそうに、クーッと熱燗を飲むのです。その表情や雰囲気がすてきで、「1人サイコー！　おいしー！」という言葉が聞こえてきそうでした。

その後、偶然にも同じように1人の女性が蕎麦を食べているところに居合わせました。ところが、この人はうつむき加減でため息ばかりだったのです。

「さみしい……」という心の声が聞こえてくるようで、私もさみしくなりました。

1人ってツライ〃
1人サイコー!

こんなふうに、私たちの内側の声は無意識に外にダダ漏れしてしまっていることが少なくありません。

トレーニングをして、人前では感情を抑えている人でも、〝1人のとき〟は蕎麦屋での女性のように、漏れていることもあるのです。

つまり、私たちは無言でもけっこう「話している」のです。

これが私たちのコミュニケーションの基本であり、これを**非言語コミュニケーション「ノンバーバル」**といいます。

「空気」とはこういうもの。**非言語の感情が外に漏れて、その人の「空気」となる**のです。

この「空気」は、良くも悪くも人と人との間を絶えず流れていて、私たちの感情を刺激しています。

そして、言葉になっていないにもかかわらず、とても人に影響を与えるのです。

ですから、先手必勝で、相手の「空気を読む」ことで、自分の出方を決めるのです。

「空気は読む」のは何のため？

「えー、空気を読むなんてあり得ない！　疲れるだけじゃん」

「マイペースでいこうよ」

こう思う人もいますよね？

実は、まさにそのとおりなのです。

私ももともとは空気を読みすぎて疲れるタイプ。人見知りで引っ込み思案で友だちもいない人間だったので、できれば「空気を読む」なんてオススメしたくありません。

最近**「HSP（Highly Sensitive Person）」**という言葉が注目されています。アメリカのエレイン・N・アーロン博士によって提唱された「約5人に1人は敏感体質の人間がいる」という概念ですが、感受性が強く、他人の痛みを自分のことのように感じて共感しすぎるためにちょっとしたことで傷つき、生きづらさを感じている人たちのことです。

また、空気を読みすぎて苦しむ主人公が自由に生きる道を選んでいくことで、大きな共感を得ている『凪（なぎ）のお暇（いとま）』というマンガがヒットし、２０１９年には黒木華さん主演でドラマ化もされました。

こんなふうに、空気を読むことをしんどいと感じている人が増えているのも事実です。

もしあなたがＨＳＰ体質であれば、空気を読むのはとてもつらいかもしれません。ですから、決して無理はしないようにしてください。ただ、**「空気に影響される」のではなく、「空気を自分で動かす」**ということが理解できれば、もっと楽になるはずです。「空気を読むなんてムリ！」と思う前に、ここから読み進めてください。本書ではあくまでも「人の心を動かす」ということにこだわって書いていきますので、空気を読むことがどうしても大事になってくることをご理解ください。

「空気を読む」だけでは心は動かせない

日本人は「空気を読む」ことを大事にします。

中にはマイペースな人もいますが、世間体や周囲の目を気にし、自分がどう見られるかを気にかけて、他人に合わせ、その場の空気から浮いた存在にならないようにする人が日本人には多いのです。

実は、英語をはじめとする欧米の言語には「go with the flow（他人に同調する）」といった言葉はあっても、日本語の「空気を読む」というニュアンスそのままの言葉はないと言われています。また、「あうんの呼吸」などの言い回しも日本独自のもの。

空気を読むより、自分が思ったことをはっきり伝えることを大事にするのが欧米人で、**自己主張よりその場の空気を読むことを優先するのは日本特有の文化**と言ってもいいかもしれません。

私は長く外資系企業にいて、欧米人の方と一緒に働いていましたが、実際、彼らは空気を読むなんてことはめったにしませんでした。仕事を頼んでも笑顔で「できない」と言われます。悪気はなく、それが普通なのです。

演出家で作家の鴻上尚史（こうかみしょうじ）さんは、ベストセラーになった『「空気」を読んでも従わない』（岩波ジュニア新書）の中で、日本人には「世間」と「社会」があるけれど、外国には世間はなくて、社会しかないということを言っています。

島国で村社会的に成り立ってきた日本には、自分が知っている人だけで構成される集団、すなわち「世間」があって、そこでは自分だけ違うことをしたりしないで、みんなが同じ時間を生きることがよいとされてきた。そうでないと仲間はずれにされるという同調圧力のようなものが強く働いているというのです。

余談になりますが、友人の国際大学グローバル・コミュニケーション・センター講師の山口真一さんはネット炎上の研究をなさっています。彼は、

「日本人には『こうしなければならない』という規範意識が強くあり、そこからいったん逸脱すると、社会的に抹殺するまでバッシングを続けることがあります」

「アメリカの論文を読むと、ネット上での〝イジメ〟のほうが深刻な問題として捉え

られており、炎上はあまり問題視されていません。なぜなら多くのアメリカ人にとっては、仮にどこかの学生がアルバイト先の店で悪ふざけしている動画をネットで見かけても、別に自分に実害はないのでどうでもよく、わざわざ批判するという人はほとんどいないからです」(『デイリー新潮』2019年1月10日掲載)とおっしゃっています。このように東洋人と西洋人では、コミュニケーションに違いがあるのです。

しかし逆に言えば、これこそ日本流の気配りができる所以(ゆえん)です。災害が起きたときの日本人のマナーの良さは、よく海外から賞讃されますが、そんなプラス面もたくさんあります。**空気を読むスキルは、日本人の成り立ちによる、長所でもある**のです。

「自分のため」に空気を読むから疲れてしまう!

「空気を読む」という理由のひとつに、

「誰かから嫌われないように」

「誰かから〝いいね〟をもらえるように」

という基準があるように思います。

でも、これは**「自分のために読む空気」**なのです。


「ええ？　相手に気を遣っているのに？」と思うかもしれませんが、なぜそんなに気を遣うのかといえば、「嫌われたくないから」ですよね。

そして、いい人だと思われたいから、というのが答えではないでしょうか。

私にもふんだんにこの気持ちがありますが、実はこれこそが疲れる原因です。

「いいね」をもらうために何かを発言しようとしたら、それは相手があなたの幸せをコントロールしていることになります。

「自分だけでは幸せになれない」

これがものすごく疲れる原因です。

読むべきは「相手のため」の空気

けれど、もうひとつ大事な〝読むべき空気〟があります。

それが**「相手のために読む空気」**。

これができると、相手の心が動くような「空気をつくる」ことができるようになります。

あるとき、私の講演が終わった後、スタッフが速攻で、

「今日も内容、よかったです！　メモを取っている人たくさんいましたね！　今日は参加者の方がおとなしかったですが、ここの地域はおとなしい人が多いみたいですね」

と言ってくれたことがありました。

実はその講演は参加してくださった方たちがいつもよりおとなしくて、普段なら笑いが取れるところでウケなかったので、ちょっとへこんでいたのです。

そんな私の不安そうな空気を〝読んで〟言ってくれた言葉に、私は、「ほんとに大丈夫だった？　心配だったんだ」と本音を言うことができて、とても救われました。

また、忙しそうに大量の資料を前に積み上げて目を真っ赤にしてため息をつきながらパソコンを入力している同僚がいたら、その表情や態度の空気を〝読んで〟、「お手伝いできることある？」と聞けたらどうでしょうか。その人がもし、「人に物事を頼めない」人だったら、かなり救われます。

たとえ「いや、大丈夫」と相手が断わったとしても、言われないのと言われるのでは、相手の心の状態は大きく違います。

さらに、「1人で抱えて大変だね。これも人一倍がんばっちゃうからだよね。いつもありがとう」と、相手をねぎらう言葉をかけられたら、相手の気持ちは「しんどいな……」↓「わかってくれる人がいて嬉しい」↓「なんかやる気出てきた」といったような段階で変化することだってあります。

そう、**「空気は相手にハッピーな気持ちになってもらうために読む」**のです。

空気を読むと、誰かを救うことができる

では、ここで空気を読まずに、「お疲れさまです。がんばってくださいね〜！」と先に帰ったとしたら、どうでしょう？

手伝ってほしいということを言えなかった本人が悪いのですが、それでも、

「なんで私ばっかり……」

「同僚なのに知らん顔って、何なの？」

と、相手を不快にさせてしまうかもしれません。

繰り返しますが、ここで悪いのは「手伝って」と言えない相手です。ですから、空気を読めない人には、何の責任もありません。

ただ、多くの人は「手伝ってほしい」と言えません。その前提で、あえて「空気を読む」と、誰かを救うことができるのです。

もちろん、この状況で、あなたも忙しいときは無理して手伝う必要はありません。

空気を読んで理解してあげたら、
「大変そうだね。私にできることがあったら言ってね。手伝いたいのだけど、今日はどうしても病院に行かないといけなくて、本当にごめんね」
と、**たとえ空気が読めない人と同じように帰っても、相手の心は救われて幸せな方向へ動き、あなたへの好感度は上がったまま**です。

営業マンにありがちな「心が離れる話し方」

空気を読むことの重要性は、セールスの現場で多くの人と対面で会話してきた中で、切実に感じたことです。

人は本音を言わないと書きましたが、セールスでは「まったく興味がないから、帰りたい」と言えないお客様もいます。

ですから、お客様の態度や表情、そして「あ、まあ」というような曖昧な返事にその本音が現れてきます。

しかし、空気の読めない営業マンはそれに気づくことなく延々と交渉したり、的の外れたことを言って、お客様を困惑させたりします。

そして、契約にならないどころか、嫌われてクレームになったりして、「嫌われる・売れない・稼げない」という残念な結果となるのです。

つまり、彼らは「人の心を動かす話し方」どころか、「人の心が離れる話し方」ばかりしているというわけです。

空気はどうやって読めばいい？

自信がないと空気は読めない

「空気を読む」と言っても、自分の受け取り方がネガティブになってしまう人は、相手の態度に振り回されてしまいます。

ですから、**「私は嫌われている」という気持ちをベースに持って空気を読むことは絶対にNGです。**

相手に嫌われていると思い込んでいると、挨拶したのに返事がないなど相手の対応が冷たいときに、「私のことが嫌いだからだ」と、自意識にベクトルが向いてしまいます。

読むべき空気は「相手に何があったか？」です。

自分中心に考えて、「自分がどう思われているか」にとらわれても、気になることが増えるだけで、何のプラスにもなりません。

空気を読むときは、まず情報を手に入れる

空気を読む場合は、手に入れられる範囲の情報という材料を合わせて考えていきます。

これは、

①表情や態度などの非言語情報
②その場の環境や状況
③その人の背景・近況

などのことです。

①表情や態度などの非言語情報

無表情だったり、人をにらみつけている、ブスッとしているといったネガティブな

顔は、何か不満や不安、納得できないことを抱えていたり、もしくは具合が悪いといったネガティブな状態の場合があります。

また、相手があなたの話を聞いているときに目が泳いでいたり、うなずきが速いといった場合は、早く切り上げたいときだったりします。これは相手が時計を見るときも同じ。早く切り上げたいというアピールです。

これらの非言語情報が本音です。

おそらく多くの人がこれを使って、普段から空気を読んでいることでしょう。

たとえば、あなたが部下に「この仕事やっといてくれる?」とお願いしたときに、部下が「いいですよ」とブスッとしながら言ってきたら、あなたは「イヤそうな態度」に感じて、ムカッとしますよね。

言葉では肯定的でも、表情や態度が真反対の場合は、言葉より態度のほうが本音です。

また、「おまえはバカだな」と怒った顔で言われたら傷つきますが、優しい顔で言われたら冗談に感じます。同じように「あなたなんか嫌い」という言葉も、大好きなのにすねて言ってしまっている可能性もあるのです。

ですから、表情と態度が本音、言葉はその次と考えて空気を読みましょう。

②その場の環境や状況

「こんにちは！　ご無沙汰してまーす！」

こんなふうに満面の笑みで挨拶してくる人がいるとしましょう。

でも、その場がお葬式であれば、多くの人はそんな挨拶はしませんよね。

みんながひどく落ち込んでいるときに、「ここは明るくしよう」と逆の空気を読んで、「さあ、おいしいものでも食べて笑いましょう」と笑顔を向けることもあります。

③その人の背景・近況

退院したての人であれば、少々やせていて元気がなさそうでも「元気でよかった」と励ます言葉をかけることも多くありますよね。

病院では看護師さんも、余命宣告された患者さんには悲しい顔はせず明るく接しますが、本当は悲しくて心を痛めている看護師さんだっているのです。

これらの3つの情報を考えると、たとえば、課長が沈んだ顔をして、ため息と舌打ちを繰り返し、疲れている空気を発散させていたとしましょう。

ここで、「あ、機嫌悪そう……」とだけ読んで、ストレートに「どうしたんですか？」と聞くのではなく、

「今日の課長は……あ、本社会議だった！

今日は月末……課の数字が悪い！

もしかしたら部長に怒られた可能性もある。

課長はいつも優しいから、言いたいことが言えないタイプ。

これらを加味すると、『ちくしょ～。俺ばっかり板挟みじゃないか』『俺、リーダーとしてのスキルがないのかな』と落ち込んでいるのかもしれない」

というところまで読むのです。

つまり、

・今日は何の日？

・この人の性格は？

・言いたいけど言えないことは？
・言ってほしいことは？
などを関連づけていきます。

ここまで読むと、

「課長、お疲れ様です。

すみません、もしかしたら数字が悪かったので、会議で肩身の狭い思いをさせてしまったかもしれません。そうだとしたら、本当に力不足で申し訳ありません。

来月は絶対にがんばります。

私、課長のおかげでのびのびやらせていただけて、すごく感謝しています。ありがとうございます。

課長、お疲れじゃないですか？　コーヒーを持ってきましょうか？」

と言えるようになります。


これはあくまでも仮説なので、こう言ったところで「いや、会議は問題なかったよ」と言われるかもしれませんし、そもそも数字ではなく、家庭で何か心配事があるのかもしれません。

けれど、仮説を立てて一度伝えてみることで、読んだ空気の仮説↓検証ができ、回数を重ねるたびに、もっと空気を読めるようになります。

たとえば、「いや、会議は問題なかったよ」と言われたとしても、

「あ、そうですか！　実はお疲れのようでしたので、てっきり数字のことでご迷惑をかけたのでは……と思ったんです。でも違ってよかったです。

あ、でも、数字は本当に申し訳ありません。来月は絶対にがんばります」

と、違うパターンで切り返せば、会話も和みますし、スムーズに運べます。

もしくは「いや、実家の母が病気でね」と、課長のほうから話を振ってくれる可能性もありますから、結果として距離がぐんと近くなるのです。

空気なんて読みたくない人はどうすればいい？

さて、先ほどは「相手の空気を読んで言葉をかけてあげることはとても大事」と言いましたが、嫌いな人や、単なるわがまま、かまってちゃんなど、到底救う気にもなれない相手が目の前にいたらどうするのか？

結論から言うと、**空気なんか読まずに退散するのがベスト**です。

さらに言うと、そのとき相手に対して申し訳ないなどという罪悪感も一切持たなくていいのです。

何よりも自分を大事にしてください。

私も自分が疲れて余裕のないときに「大丈夫、大変だね」という言葉を求めている人からのＬＩＮＥさえ見られないときがあります。

でも、これに対して「私、なんて冷たい人だろう」と思ったことは一度もなく、

「だってしんどいんだもん、今」で終了です。

無理は一切していません。

ただ、その人が本当に困っているときや、仕事関係であったり家族の場合など、自分の意図する方向に（もちろんポジティブに）、今すぐに動いてほしい対象であるのなら、どうやったらお互いがいい空気になれるかどうかを考えて対応するようにはしています。そして、

- **向かいたいゴールを意識**
- **いったん理解**
- **明るくポジティブになる**

ということを基本にしています。

自分から能動的に世界を変える！

では、この辺りをより具体的に伝わるように、セミナー生徒さんにアドバイスした内容からご説明します。

あるとき、セミナー生徒のHさんから質問を受けました。

Hさん「和田さん、私の夫が毎日のように、家に帰ってきてからすごくしんどそうな顔をして、〝俺の仕事は大変で疲れているんだ〟というアピールがうざいです。私だって働いて疲れているんです。どう対応していいのか……」

和　田「うわ〜、毎日だとしんどいですよね。イライラしますよね？」

Hさん「はい、そうなんです。またか……と、ちょっとイラッとしてしまって……」

和　田「じゃ、旦那さんに対してどんな態度になってます？」

Hさん「そうですね、しゃべりかけつつも、むすっとしていると思います（笑）」

和　田「やっぱりHさんはいい人だから、やたらと空気読んで、もろに影響を受けてしまうみたいですね。家の外でも気を遣っているでしょうし、そのうえ、家でも疲れるのはかわいそう」

Hさん「はい、もう彼が帰ってきてほしくないと思うほど悪化しています」

和　田「Hさんは旦那さんとどんな関係でいたいですか？」

Hさん「それはやはり円満で……」

和　田「では、家庭はどんな空気がよいですか？」

Hさん「家庭を明るい空気にして、楽しくしたいです」

和　田「旦那さんもそっちに動かしたいですよね？」

Hさん「はい」

和　田「では、こうしてください。最初は『今日も大変だったんだね、ありがとう』といったん受け入れる」

Hさん「えっ、なんだか悔しい……」

和　田「でも、明るい空気にしたいんですよね？　だったら演技でもいいのであえて言うのです。悔しくないです。だってこの言葉は、旦那さんのネガティブな空気に影響されて言わされた受け身の言葉じゃないんです。あくまでも自分の行きたい方向に誘導する言葉なんです」

Hさん「なるほど、そうか」

和　田「そして明るく『じゃ、ビール飲む？』と笑顔満開で（笑）。そしたら相手のネガティブな気配をブロックして、自分は楽しい気分を維持できます」

Hさん「はい。でも旦那はそれでも愛想悪いかもしれないですが……」

和　田「あっ、むすっとしたままでもぜんぜん気にしないでください。それなら『そうなんだ、じゃ、ゆっくりしてね』とあっさり笑顔のまま引きさがります。どっちにしてもHさんの気分が悪くならないのです。自分の誘導だから」

Hさん「私がコントロールしているわけですね（笑）」

和　田「そう、自分の目的に向かって！」

Hさん「ねぎらいの言葉も悔しいわけじゃないですね」

和　田「そうなんです。それに旦那さんもよくなる可能性もありますよ」

Hさん「家庭の空気がよくなりますね」

和　田「そうなったら、それはすべてHさんが求めた結果、ゴールです。空気をつくって、『誘導した』ってことなんです。受け身ではなく、能動的に世界を変えたってことなんです」

Hさん「はい！」

和　田「これが『空気を読んで空気をつくる』ということです。空気は読むけど、自分の意思で動いているのです」

空気を読んで影響されるととても疲れますが、空気を読んでも自分の意図で動くと疲れません。なぜなら、気分が悪くならないからです。だから、ネガティブな相手の空気に飲まれそうになったら、ちょっと冷静になって自問します。

「私が求める関係の結果は何？」
「私が誘導したいゴールはどこ？」

あくまでも**能動的に動く**のです。

威圧的な人に対してでも、権力を振りかざす人に対してでも、空気を読んで空気をつくって、自分の思うように動かすのです。

自分の空気を知る

会った瞬間に**「うわっ、苦手かも」**と思ってしまう人はいませんか？

私の場合は威圧的な態度や、どんより暗い、重い気配の人がいると、ちょっとしんどく感じます。だから、もし、仕事でどうしても話をしなくてはいけない場合を除いて、避けたり距離をとってしまっています。

まして話をしたいとか、この人の話を聞きたいという気持ちにはなかなかなれません。

けれど、この「うわっ、苦手な感じ」と思われてしまう人は、まさか自分が第一印象からマイナスポジションをとっているとは気づきもせず、「なんでこんなに勉強したのに俺のことを評価しないんだ」と不満に思っているかもしれないのです。

で、恐いのはここからです。

もし、あなたが誰かから「うわっ、苦手な人だ」と第一印象から思われていたらどうでしょうか？

そう、先ほど相手の空気を読むことについてお話ししましたが、そうであれば**自分の空気も相手に読まれる**ということですよね。

もし、自分の空気がこんなふうにマイナスイメージであれば、どんなに上手なプレゼンをしても相手が聞く耳を持ってくれません。

そんなに能力があって才能があっても受け入れてもらえる可能性は低くなります。

仕事でも恋愛でも良い結果につながるはずもなく、ましてやプラスになるはずがありません。

それはなんとしても避けたいですよね。

ですから、ここからは**「自分の空気をつくる」**ことについてご説明します。

無意識を意識して「イヤなこと」を言語化する

まずは、できるだけ客観視できるように、とにかく見ただけで「苦手かも」と思う人の印象を自分で言葉にしてください。

空気は見えないので非常に曖昧なものなのですが、言語化してすべてを明確な認識にすると輪郭ができ、意識しやすくなります。

セミナーでもよく**「無意識を意識して言語化すること」**について言っているのですが、この単純作業によって今までどれだけやっても改善できなかった人にも、自分の表情や態度に明らかな変化が見えました。それだけ脳に明確に認識させることが重要なのです。

言語化するのは以下の5つで十分です。

①表情　②態度　③声のトーン　④身だしなみ　⑤自分への関心度

では、ひとつずつ説明していきます。

①表情

どんな表情をされるとイヤですか？

口元……下がっている、閉じている、開いたまま、など
目……閉じている、睨んでいる、細めている　どこを見ているかわからない、など
眉毛の位置……眉間のシワ、上がっている、など
顔の位置……顔を突きだしている、顎をひっこめている、など

脳の認識と行動をつなげるために、一度、その表情を鏡を見ながら実践してください。その顔をつくるときに動く筋肉に意識を向けていくと、自分が無意識にその表情をつくってしまうときに気づけるようになります。

筋トレとまったく同じで、動かす位置を知ることで表情をコントロールするのです。

②態度

体の向き……斜め、まっすぐ、後ろ
立ち方……片方の足を投げ出している、どちらかの肩が落ちている、背中が丸まっ

ている、など

手の動作……ポケットに手を入れている、手を組んでいる、など

体の動作……貧乏ゆすりをしている、左右に揺れる、肩が上がっている、すくんでいる、など

同じように脳の認識と行動をつなげるために、一度、その態度を鏡を見ながら実践してください。

③声のトーン

高低……高い、低い、普通

スピード……速い、遅い、普通

質感……やわらかい、丸い、鋭い、温かい、冷たい、など

同じように脳の認識と行動をつなげるために、一度、真似て声を出してみてください。できれば録音をして、聞いてみるといいでしょう。

④身だしなみ

髪型……長い、短い、すっきり、ぼさぼさ、ねっとり、など
服装……きっちり、だらしない、清潔、不潔、きれい、汚れている、シワ、など
匂い……よい、無臭、臭い、など

自分はどうかな？　と、何でも言ってくれる近しい人（家族など）に「本当のことを言ってね」と頼んでみてください。どうしていいかわからない人は、スタイリストなど専門家にアドバイスしてもらってもいいでしょう。

⑤自分への関心度

自分への質問はあったか？
身を乗り出してしゃべっていたか？
楽しそうだったか？
連絡先を聞かれたか？

「苦手だな」と思う人はどんな人か、という分析をしっかりしてみる。「まったく質問してこなかった」「自分に無関心だった」など、きっと感じることがあるはずです。具体的に認識すればするほど、自分がそういう態度になったときに気をつけるようになります。そして、もし自分にも当てはまるのであれば、そこを改善しましょう。

要は、自分が苦手だと思う人の正反対のことをすればいいのです。

多くの人が苦手な人ってどんな人？

まとめると、一般的な「うわっ、苦手だな」という人とはどんな人でしょう。

表情にまったく笑顔がなく、目を合わせてくれない

にらみつけてくる感じ

アゴを突き出していたり、口元の片方だけ上がっている

腕を組んでふんぞり返っている

服装はよれよれで不潔、フケが肩に落ちている
口臭や体臭が臭い（タバコなど）
こちらへの質問をしない

などです。

全部が重なるとかなりひどい（笑）ので、滅多にこんな人はいないかと思いますが、最悪のケースがこれです。

ただ、この「苦手だな」はセミナー参加アンケートによる1000人以上対象の平均の結果です。

性別や年齢、各個人の価値観によっても違うので、全部は共感できない部分もあるかもしれませんが、多くの人が感じる共通項として認識しておいてください。

動作が変われば空気も変わる
――無意識に不安顔になってしまうのはなぜ？

さて、苦手だなと思われないように細心の注意を払って「自分の空気」をつくっていきたいわけですが、そこに立ちはだかるものがあります。

それが**「無意識に体が反応してしまう表現」**です。

心臓がドキドキしたり、手のひらに汗をかいたりするといったことを**「情動反応」**と言いますが、無意識なのでなかなかコントロールできないわけです。

明るい笑顔で声をワントーン上げて、背筋を伸ばしてシワのない清潔なスーツを着て、「よし、第一印象の空気はばっちり」と自信満々で取引先に出向いたのに、相手がムスッとして顔を見てくれない。

ちょっと怖い、いや、すごく怖いですよね。

あなたはちょっとビビッて、とたんに汗が出る、言葉がたどたどしくなる、後ずさりしているなど、きれいなスーツ以外はもうさっきの自信満々の自分ではなくなってしまいます。

これこそが**「相手の空気を読んで影響を受けた」**状態です。

このときあなたの空気は弱々しくて、自信のないものとなっています。

これでは人の心を動かすことなんてできません。

逆に言えば、**この情動反応をコントロールできさえすれば、「空気をつくる」ことが自在になります。**

脳科学では、情動反応に大きく関わっているのは「大脳辺縁系」と呼ばれる領域にある各部位だと言われています。とくに記憶装置として有名な「海馬」や恐怖や不安、好き嫌い（快・不快）に関与する「扁桃体」が情動に深く関わっていると言われますが、こうした脳の働きによって、私たちの感情やそれに伴う身体反応が生まれているようです。

「人は悲しいから泣くのか、泣くから悲しいのか」

脳科学者の間では古くからこういうことが議論されてきて、いまだに明確な答えが出ていないようです。ただ、ある感情が湧き起こるのと同時に、それにふさわしい言葉や動作が自然と出てくる。これはみんな経験があるはずです。

つまり、**感情と言葉や動作はセットですから、ある感情を表す言葉や動作をすれば、それとセットになった感情が湧き上がる**こともあるわけです。

楽しい言葉が楽しい空気をつくる

泣き顔をつくると、ちょっと悲しい気分になりませんか？

手を広げて伸びをしてみるだけで開放的な気分になりませんか？

「うれしい！」と大きな声で叫んでみたら、なんだか明るい気分になりませんか？

その反対に、腹が立っているときに怒鳴り声をあげると、ますます腹が立ちます。

これは心理学でも証明されているもので、声を小さくすると怒りが治まるのです。

つまり、**言葉や動作を意識することで、そこに生まれる感情をつくり出すことができる**ということです。

楽しい空気をつくろうと思ったら、楽しい言葉を口にしたり、楽しいときに出る動

きをまず表現してみる。

それで自分が楽しい気分になれば、相手もつられて気持ちが明るくなり、楽しい空気がそこに生まれます。

「空気をつくる」というのはそういうことで、これが「人の心を動かす」ということにつながっていきます。

自分の空気をつくる方法

相手の空気に影響を受けてしおれた花みたいな空気になってしまったり、過度の緊張で汗をかいてふるえるなどを阻止するために、私がやってきた方法をまとめておきます。

小学校の授業（5年生以上）でもまったく同じことをやっているので、あまりに簡単すぎるかもしれませんが、初対面で警戒される営業という仕事で効率よく結果が出せた、私の秘訣です。

これはセミナーで生徒さんにもやっていただいていますが、みなさんもすぐに効果が出ていますので、ぜひやってみてください！

また『和田裕美の人に好かれる話し方』（大和書房）でも同じ内容をご紹介していますので、もっと詳しく知りたい方はそちらも参考にしてください。

①深呼吸

緊張すると臨戦状態となって、アドレナリンが分泌すると言われています。

こういった状態だと呼吸も速くなりがちなので、意識的にゆっくり息を吸って吐きます。「腹式呼吸のやり方」はネットにもたくさん出ていますよ。

②笑顔5秒KEEP

深呼吸と同時に笑顔もセットすると、すごく落ち着きます。

目の前の人のネガティブな空気に影響されてしまうと、ガチガチになって無意識に笑顔が消えてしまうもの。自分では笑っているつもりでも、実は1秒くらいしか笑えていません。

「第一印象は5秒ほどで決まる」と言われていますから、ここで、どんな相手でもとにかく5秒間は意識して笑顔をつくりましょう。

私はこれを**「笑顔持久力」**と名づけています。

〈相手に影響を受けてしまうケース〉

あなた「こんにちは」（ニコリ）
相　手「（ムスッとして）ああ」
あなた「（えっ。反応悪い……）ああ、あの」（笑顔が消えていく）
相　手「（無表情で）時間ないから」
あなた「すみません。では、とりあえずパンフレットを……」（おどおどして腰が引けている）
相　手「いらないです」
あなた「ああ、はい……では失礼します」（そそくさと退散）

笑顔が消えて、相手の空気に影響されていますよね。
では、「笑顔5秒ＫＥＥＰ」を使ったパターンです。

あなた「こんにちは」（ニコリ）
相　手「（ムスッとして）ああ」

あなた「お時間を作ってくださってありがとうございます」（笑顔5秒KEEP）
相　手「時間ないから」
あなた「はい、承知いたしました。お時間のないところありがとうございます。では、手短にお話しできるように、こちらから質問させていただきますね」（まだ笑顔）
相　手「ああ、はい」
あなた「ありがとうございます！　ではまず……」

これだと、自分が相手に影響を与えていますよね。
表情を維持しただけで自分の土俵に持ってくることができるのです。

③好きです念仏

最近、マスク姿の人が多くなりましたが、お互い〝笑っているはず〟の会話なのに、なぜか顔が怖いという人に遭遇したことありませんか？
これは口元を隠すことで、目が笑ってないのが目立つためです。

こういう人は、多くが「作り笑顔」をしているか、それがクセになっている可能性があります。

たとえば、理不尽なクレームに笑顔で対応しなくてはいけないような現場にいる人は、心の中で「このやろう！」と思いながらも無理に笑っているので、表情筋がそう働くようになってしまっているのです。

人は、**本能で「作り笑顔」に違和感を覚える**生き物です。

「作り笑顔」は、しすぎると相手をイライラさせる原因になるので、せっかく笑っていても逆効果になりかねません。

先ほどの「笑顔５秒ＫＥＥＰ」は、コミュニケーションを円滑にして相手からの影響をブロックするのが目的ですが、結局は「作り笑顔」ですから、やりすぎると相手が敏感な人の場合、やりすぎると違和感を覚えさせてしまうでしょう。

そこで私は、**苦手な人が目の前にいても本物の笑顔を作れるように、心の中で「好き、好き、好き……」と念仏のように唱えています。**

ちょっと変ですよね？（笑）
でもそう思うことで、「よく見たらシャツのボタンがおしゃれで素敵だな」「あ、今小さくうなずいてくれた！」など、小さくてもいいところが目につくようになります。
そして、本当に少しかもしれませんが、「好き」という感情も出てくるのです。
これを続ければ、次第に「本物の笑顔」が生まれますし、相手の心に言葉がもっと届くようになります。

19世紀のフランスの神経学者デュシェンヌ・ブローニュは、「本物の笑顔の場合、目の周りの眼窩筋（がんかきん）が動くが、うわべの笑顔の場合はこの筋肉を意識的に動かすことはできない」という研究を発表しました。

でも、私は「意識的に眼窩筋を動かしたい！」と思い、目の下に人差し指と中指のV字をつくり、その間の筋肉を意識的に動かす練習を続けてきました。

その結果、目の周りの筋肉を自分で動かせるようになったのです。

もちろん「本物の笑顔」とまではいきませんが、「好きです念仏」とセットでやることで、私のコミュニケーション能力はけっこう上がったと思っています。

ちなみに、「でも、好きなんて感情を出したら、誤解されない?」と不安に思う方は、110ページの「ファンスタンス」のところも参考にしてください。

1章まとめ

◉ 空気は自分のためでなく、相手のために読むべきもの。

◉ 空気は「非言語情報」「環境や状況」「背景や近況」などから読む。

◉ 空気をつくるには、無意識を意識する。

◉ 人の心を動かすには、相手に「この人は自分のことが好きなんだ」と思ってもらうことが大事。

2章

空気をつくる話し方

話し下手でもぜんぜん大丈夫。
スラスラ話す人ではなく、
自分に興味を持ってくれる人、
話を聞いてくれる人に、人は寄っていくのです。

なぜ、聞き上手であることやほめ言葉が重要なのか？

どんなに心を読んで相手の本音を探ったとしても、あなたという存在が相手から受け入れてもらえてなかったり信頼されていなければ、あなたの言葉は相手にはいっさい届きません。

自分の言葉を相手の心に届けるには、少なくとも相手から嫌われていないことが必要です。そのうえで打ち解けて、さらには好かれて信頼される必要があります。

そのために、相手に自分を受け入れてもらうための「空気をつくる」のですが、その次に、**より相手との距離を縮めるための「話し方」が必要**になってきます。

そこでここからは、打ち解けるための**「雑談力」**、好かれて信頼されるための**「聞き上手」**、そして**「マイナス自己開示」**について、説明していきましょう。

人は自分の話を聞いてくれる人が好き

先ほど述べたように、「人は自分の話を聞いてくれる人が好き」な生き物です。そして、「自分に興味のある人が好き」なので、聞き上手な人やほめ言葉を使う人は、当然のことながら相手から好かれます。

一生懸命に相手の話を聞くと、相手の自尊心を高めることができるので、相手に「私はすばらしい」と思ってもらえます。

相手のいいところをほめれば、相手の承認欲求（詳しくは181ページ）を満たすことができるので、やはり相手に「私はすばらしい」と感じてもらえます。

つまり、「自分をもっと好きになってもらうこと」ができるのです。

このように、聞き上手やほめ言葉には、すばらしい利点がたくさんあるのですが、実はもっと重要な点があります。

それは相手に、

「この人は私のことが好きなんじゃないか?」

と思ってもらえること。

「自分のことを好きな人ならば、きっと自分にとってためになる提案をしてくれるはずだ」という心理が働くので、おのずと話を聞いてくれる人や、自分をほめてくれる人の言葉を素直に聞こうとするのです。

人の心を動かすには、相手に「自分はこの人から好かれている」と実感してもらうことが大事なのです。

「雑談力」で人との距離をぐっと縮める

人と人とが出会うとき、どんな会話からスタートしますか?

挨拶?　自己紹介?　それともプレゼン……?


いえいえ、そうじゃないですよね。これは講演会など一方的に話すときだけです。

日常生活の中で人と出会った最初にかわす会話は、そう、「雑談」です。

いきなり本題に入ることなく、とりとめのない話をして、会話のウォーミングアップをしていきます。

そして、この雑談によって人と打ち解けることができる。

これは無駄なようで、かなり重要なことです。打ち解けることができるから、「心が動く」のです。

ときどき「意味のない会話はいらない」と言う人（とくに男性）がいますが、**無駄のない会話だけでは、人との距離を縮めることはできません。**

教育学者の齋藤孝先生は、著書『雑談力が上がる話し方』（ダイヤモンド社）という本の中で、

ピエール・ブルデューというフランスの社会学者は、「面接などでリラックスして人と打ちとけて話せるということ自体、すごい。非常に高い能力だ」と言っています。そしてその高い能力を身につけるのは、人間関係が豊かな環境で育った家の子のほうが有利だと。

つまり、その人が豊かな人間関係の中で育ってきたんだということや、人格的な安定感のあることが雑談から伝わってくるということ。

と書かれています。

実は、私が育った環境は親が好き勝手なことをして家庭崩壊していたので、家に親

がいませんでした。そういう意味ではマイナスで、決して人間関係が豊かだったとは言えないのですが、２人とも商売をしており、小さな頃からたくさんのお客様と関わったという意味では、〝いろいろな人が多い豊かな環境〟であったように思います。

そこには、いつもとりとめのない雑談があったのです。


「ひろみちゃん、元気そうやな。今日も留守番やろ？　寒いし大変やなあ。でも、あったかそうなもん着てていいな」

「おばちゃん、今日は病院？」

「そやねん、もうだいぶ治ったけど、まだ腰痛いねん」

「気ぃつけな」

「ありがとうな」

「あ、そや」

「なに？」

「あした、雨やってな。傘忘れんときや」

「ありがとう、おばちゃん」

私にとって、こんな**何気ない雑談はあたたかな思いやり**でした。

意味のない会話だからこそ、安心して話せるのです。

そして、こんな会話が人との距離を知覚し、心を許す一歩となるのです。

「いきなり本題」になってしまうのはなぜ？

それなのに、雑談でウォーミングアップすることもなく、〝いきなり〟本題に入ってしまう人を新人営業マンによく見受けられます。

「弊社は動画制作をクライアント様ごとにフルオーダーメイドで制作をお受けいたしております。つきましては、こちらの資料をご覧ください」

あるとき、名刺交換のあと唐突にパワーポイントの資料を見せながら説明し始めた営業マンに、私はたじろぎました。

そして長い説明に耐えていると、彼はようやく棒読みの説明を終えて、「いかがでしょうか？」と聞いてきたのです。

心の中で私は叫びました。

（いきなりすぎるし、唐突すぎる。私が動画配信に興味があるかどうかも聞いてないのに……。いかがですかと言われても……）

この営業マンが相手のニーズを聞いてコミュニケーションをとる方法を教えてもらっていないことが何より不憫ですが、彼が相手の立場になってちゃんと考えたらきっとわかるはずです。ましてや欲しいかわからないものを一方的に勧められたらなおさらです。

たいていの人は、いきなり本題に入られたら戸惑うのです。

ですから、**本題の前には、ウォーミングアップのために雑談が必要**です。

雑談をしながら、相手のニーズを聞くこともできるからです。

「雑談力」を身につける簡単な方法

雑談は基本「3ナシ」です。つまり「意味ナシ、落ちナシ、結論ナシ」！

これは、何でもゴール設定をしたがる男性脳的にはなかなか受け入れがたいことかもしれませんが、雑談はあくまでも「雑」でいいのです。

意味のないことを、力を抜いて話す。特別な知識はいりませんし、むしろあまり考えないほうがいいのです。

ただ、「考えなくてもいい」と言うと、さらにわからなくなってしまう人もいるかと思いますので、雑談がスムーズにできるように、次の方法をご紹介します。それは、

①「今ここトーク」
②「情報収集トーク」

です。

話の上手な人は、これが自然に身についていて、まるで自転車をスイスイ走らせていくように、スムーズに会話しています。

自転車に乗ると、頭で考えなくても足が勝手にペダルを漕ぎますよね。それと同じで、この方法を体が覚えたら後は一生、雑談がサクサクできるようになっていきます。

では、それぞれ詳しく説明していきましょう。

①「今ここトーク」——話題なんて気にしない

「今ここトーク」とは、文字どおり「今ここ」にある話題を見つけて、とにかく話してみる雑談の方法です。

〝今ここ〟とは、今目の前にいる人とともに感じていること。同じものを見たり、同じことを聞いたり、感じたりしている**〝同じ体験〟について話す**のです。

すてきな服ですね〜
スイスイ
ス〜イ

暑かったら「今日は暑いですね」。

壁にかけている時計に目が行ったら、「あの時計、すごいアンティークですね」。

とにかく今見ているもの、今感じたことを言葉にしてしゃべるわけです。同じ体験をしているからこそ、すぐに共感が生まれ、たいていの場合は相手から、

「いや〜、本当にこの暑さは異常ですね」

「あの時計は136年前のフランス製なんですよ」

といったリアクションがすぐに返ってきます。

〝暑さ〟というキーワードから、ニュースの話題などを加えても話が広がります。

「今日は38度らしいですね、熱中症で倒れる人もいたとか……」

「だから私、塩飴を持ってるんですよ」

「さすがです！　塩飴、いいですね！　いつも持ち歩いているんですか？」

「今日からです。テレビでやってたんですよ。あ、おひとつどうぞ」

もしくは、時計が相手の趣味だとわかったら、自分の知らないことを興味を持って聞いていくだけでもいいでしょう。

「136年前！　それって日本が明治時代の頃ですよね……？」

「はい、骨董が好きなんですよ。やっと見つけて」
「骨董がお好きなんですか？　いいですね！　私はよくわからないですが、あの時計はなんだか雰囲気があって釘付けになりました。どちらで買われたんですか？」

この**「同じ体験を言葉にするだけ」でも苦手な人は、日常の中でちょっと目に留まったことをその場で言葉にして人に話す**ということを、とにかく続けてください。

一緒に街を歩いているなら「このビル、新しいですね」「ここのカレー屋さん、おいしそうですね」、一緒の部屋にいるなら「景色がきれいですね」「あの写真はおじいさまですか。ステキですね」など、とにかく一緒に見ているものを言葉にするのです。

これを続けていれば、知らず知らずのうちに雑談力がついてきます。

②「情報収集トーク」――自分に興味がある人に人は近寄る

2つめの「情報収集トーク」は、相手の情報をあらかじめ仕入れておいて、その話題を振る方法です。

もし、誰かに会うことになっていたら、その人がブログやツイッター、フェイスブック、インスタグラムなどをやっていないか必ずチェックし、仕事や会社がわかるのなら、そのウェブページも確認。

こんなちょっとの手間を惜しまないことが大事です。

これをすることによって、

1　話題を切り出しやすくなり、自信がつく
2　「あなたに興味がある」というアピールになる
3　相手に喜んでもらえる

といった効果が生まれます。


日常的にやっている人にとってはものすごく当たり前のことですが、案外できていない人が多く、そういう人に会うと「ああ、いっぱいチャンスを逃しててもったいないな」と、とても残念な気持ちになります。

もしできていなくても大丈夫。今はスマホなどですぐ調べられますから、会う直前に気づいたら、すぐ情報収集をしてください。私もテーブルの下で必死に検索していることもあります（笑）。

たとえば、私の場合。

「和田さん、もも専務はお元気ですか？」と聞かれたときなどは、めちゃくちゃ嬉しくて、心の中でニタニタします。

「はい、元気です。ありがとうございます！（何かSNSをちゃんと見てくださっているんだ！　嬉しい〜）」

「かわいいワンちゃんですね。僕も今度はボストンテリアを飼いたいなと思ってて」

「わ〜！　嬉しい！（犬種まで知ってるなんて感激！）」

「あ、それで、これお好きかなと……ちょっと犬種は違いますが」

（犬の形のクッキーが手渡される）

「えっ、かわいい！　ありがとうございます！（この人、私に興味を持ってくれて嬉しい。また会いたいな）」

となるわけです。ちょっと単純ですが素直な感情です。

実はこれができずに、人をガッカリさせてしまう人がたくさんいます。

たとえば、よく会社に来る営業電話や広告メールはその類が多いです。

「御社のウェブを拝見してメールをしております。弊社は○○コンサルティング業務をやっております。御社の○○スタッフへのセミナーは……」

などと送られてくると、私は、

「うちは同業なんだけど、知らないみたいだな……」

と複雑な心境になります。ウェブを見ればわかることをまったくやってないのです。

多くの会社に同じメールを送るだけのアプローチをしていたり、「数多く送れば、1件でも反応があるぞ」と上司にやらされている可能性もあるので、メールを出した人にそこまでダメ出しはしませんが、100件送って1件レスポンスがあったと喜ぶ前に、99件に不快な思いをさせていることに早く気づいてほしいものです。


そういえば私も、取材担当の人に、「で、和田さんは過去にどんな仕事をしていたんですか?」と聞かれたことがありました。

「ガーン……何にも調べてきていないのか……」と、インタビューに答える気がかなり失せたのですが、後で「和田は冷たかった」と言われるのがイヤで、笑顔で応対しました（空気を読んで笑顔をつくったわけです・笑）。

ですから、初対面の方に会う前は、必ず会社名か名前を検索して、興味を持ったり、もっと聞きたいと思ったことなどをメモしてから会うと、会話が続くようになります。

さらに、**本やインターネット上で書かれていることを「○○ですよね」と確認したり、さらにはそこには書かれていなかったことを質問すると、「よく聞いてくれた」と好感度がさらに上がります。**

ただ、ここでひとつ注意したいのが、「○○というお悩みなので、このような企画がいいと思います」と思い込みで決めつけること。

これをやってしまうと、「それは以前の社長の意向で、今は違います」などと、先方を不快にさせることもあるからです。

まずは「○○なのですか？」と質問しながら話を組み立てるようにしてください。

相手をよく知るようになると、**「熟知性の原理」**が働いて、もっと好きになれる効果があります。

ちなみに、有名人はあまり事前に（無名の）相手のことを調べたり、相手に興味を持って質問しない人が多いのも事実です。それは相手がすでに自分を知っているためにおのずと相手から質問されるので、一方通行ではあるけれどコミュニケーションがとれるからです。

初対面でも話題ができる！

「情報収集トーク」はあらかじめ相手の情報を仕入れておくと言いましたが、本当は突然会った人とも「今ここトーク」以外のネタで話を展開できるに越したことはありませんよね。

そこで、とっておきの方法をお教えします。

セミナーに参加した１００名の方に「初対面で会ったときに、どんな質問をするか？」という弊社独自のアンケートを実施したところ、７割の方に一致した答えがありました。

それは「どちらからいらしたんですか？」という質問。

多くの人は「出身」を聞く傾向があるということです。

さらに、性別関係なく話題にしやすいのは「食べ物ネタ」だということもわかりました。

ですから、あらかじめ「新潟といえば……」「徳島といえば……」というように、**各地域のある程度の特徴、さらには特産物を情報収集して頭に入れておけば、会話が盛り上がりやすくなります。**


セミナーでのトレーニング中、会話はこのように盛り上がりました。

「どちらからいらしたのですか？」

「秋田です」

「秋田ってきりたんぽがおいしいですよね。あと……しょっつる鍋でしたっけ？」

（事前に調べておいた情報）

「よくご存じですね！」

「それってどんな鍋なんですか？　食べたことがないんです」

「はい。ハタハタという魚を発酵させた魚醤を使って、野菜などと煮るんです。コクがあっておいしいですよ！　冬の定番です」

「うわぁ、おいしそうですね！　ハタハタの鍋！　どこで食べられるんですか？」

「秋田の居酒屋さんならたいていありますよ」

「そうなんですね。おいしいお店、また教えてください」

「はい。もちろんです」

「もし秋田に行ったときには案内してもらえたらいいな……なんて。厚かましくてすみません」

「もちろんご案内しますよ！　いつ頃がいいですか？」

「やっぱり冬ですかね？」

この程度雑談してから、もっと相手を知りたいなと思ったら、「ちなみにお仕事は……」と聞いて展開していけば、さらに距離を縮めることができます。

全国の主な名物	
北海道	じゃがいも、乳製品、カニ、ジンギスカン、十勝ワイン
青森	津軽リンゴ、大間のマグロ、にんにく、ばっけ味噌
岩手	かもめの玉子、わんこそば、盛岡冷麺、三色せんべい
秋田	きりたんぽ、しょっつる、比内地鶏、稲庭うどん、ハタハタ
山形	いも煮、山形そば、米沢牛、さくらんぼ、ラ・フランス
宮城	牛タン、笹かまぼこ、萩の月、セリ、サメ
福島	喜多方ラーメン、桃、こんにゃく、あんぽ柿
東京	雷おこし、東京ばな奈、もんじゃ焼き
神奈川	かまぼこ、鳩サブレ、崎陽軒、よこすか焼き
埼玉	草加せんべい、五家宝、十万石饅頭、川越さつまいも
千葉	白菜、落花生、はまぐり、カブ、里芋
茨城	梅どら、水戸納豆、干し芋、ワカサギ
栃木	かんぴょう、ぎょうざ、とちおとめ
群馬	下仁田ねぎ、磯部せんべい、こんにゃく、嬬恋キャベツ
新潟	コシヒカリ、笹だんご、へぎそば、おけさ柿、かんずり
長野	信州そば、青りんご、野沢菜、栗ようかん、干し柿、寒天
山梨	ぶどう、勝沼ワイン、ほうとう　甲州小梅
石川	甘えび、あんころ、かぶら寿司、枯露柿、ゴリ料理
富山	白エビ、ホタルイカ、黒部米、五箇山かぼちゃ、ゲンゲ
福井	カニ、ぐじ、カレイ、うに、オーロラ印の味付たら
愛知	ういろう、味噌かつ、手羽先、小倉トースト
静岡	うなぎパイ、お茶、わさび、富士宮やきそば、ゲホウ
岐阜	富有柿、栗きんとん、明宝ハム、美人姫、鮎
三重	赤福、伊勢海老、松阪牛、茶、伊勢ヒジキ
大阪	お好み焼き、たこ焼き、堂島ロール
京都	湯葉、八つ橋、千枚漬け、ちりめん山椒、京野菜
奈良	奈良漬け、さつま焼き、吉野葛、祝ダイコン、吉野桜鮎
滋賀	江州だんご、うばがもち、鮒ずし、近江牛、水口かんぴょう
和歌山	はっさく、和歌山ラーメン、じゃばら、みかん、紀州南高梅
兵庫	神戸牛、明石焼き、赤穂の塩、いかなご、明石鯛
広島	もみじまんじゅう、お好み焼き、尾道らーめん、温州みかん
岡山	白桃、ピオーネ、きびだんご、ひるぜん焼きそば、そうめん南瓜
鳥取	二十世紀梨、松葉がに、砂丘らっきょう、花御所柿
島根	出雲そば、しじみ、津田カブ、雲州人参、秋鹿ごぼう
山口	夏みかん、ウニ、安平麩、レンコン、厚保栗、おばいけ
香川	讃岐うどん、えびせん、オリーブ
愛媛	愛媛みかん、いよかん、坊ちゃん団子、温州みかん、ぶり
高知	ポンカン、かつおのたたき、シイラ、ドロメ(シラス)
徳島	すだち、金長饅頭、徳島ラーメン、鳴門金時、鳴門ワカメ
福岡	博多ラーメン、辛子明太子、ひよ子サブレ、水炊き、博多なす
大分	かぼす、干し椎茸、関アジ、関サバ
長崎	長崎ちゃんぽん、カステラ、皿うどん、五島するめ
佐賀	白玉饅頭、丸ぼうろ、ゆずこしょう、佐賀海苔、あげまき
熊本	からしレンコン、阿蘇高菜、シンデレラ太秋柿、天草牛
宮崎	日向夏、マンゴー、北浦灘アジ、地鶏
鹿児島	さつまあげ、黒豚、桜島大根
沖縄	ゴーヤ、シークワーサー、泡盛、ソーキそば、ちんすこう

参考：https://origamijapan.net/origami/2018/04/24/local-specialty/

信頼をより深くするには、聞くと話すは「3対1」

人はマルチタスクなんかできない

相手に伝えたいことが明確にある場合、つまり「人の心を動かしたい」ときは、**「雑談」**から**「聞き上手」**へと移行します。

「聞き上手」というのは、相手が自分よりも多く話しているということ。もちろん聞くだけでなく、自分の話をしてもかまいません。

日本でも多くの著書を出版している世界でも有名なコンサルタント、ブライアン・トレーシーさんの『魅せる力』（五十嵐哲・訳／筆者監修／ダイヤモンド社）という本にも、やはり聞き上手がいかに重要かが書かれています。

たとえば自宅にいるときに誰かがあなたに話しかけようとした際には、すぐにそのときやっていることをストップして、注意力をすべて相手に向けるのです。

テレビを消し、本や新聞を閉じ、相手が話していることに集中します。

あなたのこの姿勢は相手にもすぐに伝わりますし、それをありがたいと思ってくれるものです。


ここで注目すべきは「すぐにそのときやっていることをストップして……」という部分。

ここまでやっている人は、なかなかいないのではないでしょうか。


実は、**人は同時に2つのことはできない生き物**です。

マルチタスクをしているつもりでも、実はただ高速で切り替えているだけで、その〝切り替え〟の合間に0・5秒くらいの死角が生まれているのです。

これを認知心理学で**「注意の瞬き」**といいます。

つまり同時に2つのことをすると、見落としや聞き逃しが必ずあるということです。

そして、人が相手に対して不快になるのは、この「注意の瞬き」を微妙に感じてしまうから。

相手が他のことをしながら自分の話を聞く態度にイラッとし、ときに見下されている気になるのです。

「すぐにそのときやっていることをストップして」、一生懸命に聞くことができるようになると、以下のように「人の心を動かす」ことができます。

自分の話をしっかり聞いてもらっている、と感じるとき、人の内面では生化学的な変化が生じます。

脳内にエンドルフィン（〝ハッピードラッグ〟と呼ばれています）という物質が放出され、快感を覚えるのです。

さらに自尊心が高まり、そして自分のことを今まで以上に好きになることができるのです。（同掲書より）

聞き方ひとつで、ここまで相手を幸せにできるなんて、すごいことですよね！

「自分のことを好きになってくれる人なら……」という心理を生み出そう

説得したり交渉したりする際の、たったひとつの目的は何でしょうか？

それは**「同意」を求める**こと。

つまりは相手に「イエス」と言ってほしいわけです。

そのためには、相手から少なくとも嫌われていないことが必要です。

だからこそ「聞き上手」を実践するのです。

先にも書いたように、**人は「自分の話を聞いてくれる人が好き」**だからです。


ここにさらにもうひとつ、重要な心理があります。

とても大事なことなので先に触れたことを繰り返しますが、それは相手が、

「この人（あなた）は私のことが好きなんじゃないか？」

と思うこと。

相手がこう思うと、**「自分のことを好きな人ならば、きっと自分にとってためになる提案をしてくれるはずだ」という心理が働く**ので、おのずと（自分のために）同意をしたくなるのです。

聞き上手になること、相手に興味を持つこと、相手を肯定すること。

この3つで、この心理が生まれやすくなります。

聞いて、聞いて、聞いて、話す

先にもご紹介した『和田裕美の人に好かれる話し方』の中でも「聞き上手」について多くのページを割いていますが、私がセミナーや著書で繰り返しお伝えしているのは、話を聞くときのリズムです。それを、

「3対1の法則」

と呼んでいます。

この法則は**「聞いて、聞いて、聞いて、話す」というように、相手の話が自分の3倍モードのリズムを自分の中でつくり、話を聞く**というもの。

この方法で実際、私も結果が出たのですから、人はやっぱり話を聞いてもらいたい生き物なのです。それも全肯定で。

聞き上手を意識しすぎてもダメ

とはいえ、相手があなたにどんどん質問してきているのに、「聞き上手にならないと！」と、あまりにも意識しすぎて「え、○○さんはどうなんですか？」と聞き返してばかりいると、会話が成立せず、かえって逆効果になります。

相　手「どちらのご出身ですか？」
あなた「京都です（聞き上手にならないと！）。○○さんはどちらなんですか？」
相　手「福岡です」
あなた「福岡ですか。福岡にはいつまで？」

相　手「大学までです」

あなた「大学は福岡のどちらで？」

相　手「△△大学です」

あなた「その大学は福岡のどこにあったんですか？」

相　手「……（ちょっと面倒くさい）」

これではマズイですよね（笑）。

相手があなたに興味を持っていろいろと質問をしてくるときは、それにきちんと答えてから聞き返しましょう。

相　手「どちらのご出身ですか？」

あなた「京都なんです。でも、京都と言っても市内ではなくて、ほとんど奈良寄りなんですけどね。○○さんはどちらなんですか？」

相　手「私は福岡です。京都、いいですね～」

あなた「いらしたことありますか？　今なら真如堂の紅葉がきれいですよ。ぜひいらっしゃるときに見てみてください。私、福岡は太宰府しか行ったことがないんですが、おいしいものが多くて大好きです。あ、やっぱりソフトバンク・ホークスファンですか？」

相　手「いや、実はカープファンで……（笑）。野球、お好きなんですか？」

あなた「いえ、ぜんぜん（笑）。すみません、教えてください！　カープは人気ですよね」

このように相手の話を聞くだけでなく、合間に自分の話や興味のあることを入れ込んでいきましょう。

会話は基本的に聞いたら話す、話したら聞くという「キャッチボール」が一番いいのです。

たくさんスラスラ話さなくていい

キャッチボールが一番いい、と書きましたが、話すことが苦手な人は多いもの。

でも、**話が上手なのか下手なのかによって、人の心が動いたり動かなかったりするわけではありません。**

伝えることが苦手な人が心をこめて一生懸命に話すときの言葉は、伝えるのが得意な人が簡単にスラスラ話すときの言葉よりも、もっと深く相手の心の奥のほうに届くことがあるのです。

もちろん、テレビに出ている芸人さんがぜんぜん話せないというのは困りものですが、対面する相手と話すときには言葉が少なくても、ちゃんと「真心」みたいな思いは相手の心の真ん中に届きます。

心が玉ねぎみたいに何層にもなっているとしたら？

真ん中の芯のところに届いた言葉は、後になってもずっとずっと残っているのです。
いくつものフィルターを通ってそこにたどり着く言葉は、不純物のない、まさしく純粋なもののような気がします。

相手を好きで、相手を思って、自分のためではなく相手のために言った言葉ですから、多くを話せなくてもいいのです。

気持ちは目に見えませんが、言葉に気持ちをのせると相手の心に届くというのは、本当なのです。

聞き上手以外にあなたの好感度を上げる3つの方法

聞き上手は基本中の基本ですが、ほかにも、「もっとあなたを好きになってもらう」「もっと自分を好きになってもらう」「もっとあなたから好かれていると思ってもらう」ための効果的な方法があります。

それは、

①ほめる
②助言を求める
③感謝する

の3つです。

ひとつずつ説明していきましょう。

①ほめる

先にも触れましたが、**ほめ言葉には、「やる気が出る」「自尊心が高まる」といった絶大な効果**があります。

ですから、どんどんほめてください。そうすれば人の心は動きます。

……と、これだけで話が終わるならとても単純なのですが、恥ずかしがりの人や頑固な人はほめるのが苦手だったりします。

そのため、単純なことが複雑になってしまいます。

特に、身近な人をほめられません。

たとえば、奥さんにおいしい料理をつくってもらっているのに、なぜ「レパートリーが増えないね」などと言ってしまう。

旦那さんが一生懸命にＤＩＹしてくれた棚を見て、なぜ「材料費がかかりすぎだよ」と嫌味を言ってしまう。

いずれにしても「おいしいよ。ありがとう」「上手だね。ありがとう」と言うだけで、どれだけ相手がハッピーになって、あなたにもっと何かしてあげたいと心が動くか、考えればわかることです。


あなたに近い人ほど、ほめるとさらに自分にいいことが起きます。

ですから、**「1日5回ほめる」**と決めて、手帳や日記に記録することをオススメします。


また、ほめることで脳が回復するという研究結果も出ています。

2010年、アメリカや日本など7カ国で国際研究が行われたのですが、脳卒中の患者さん179人を調べた結果、歩くリハビリをする際に「ほめられた」患者さんは、「ほめられなかった」患者さんより、歩くスピードが大幅に速くなることがわかったのです。これはほめられたことでやる気が出て、リハビリに意欲が湧いただけではなく、脳の報酬系を活性化させた結果だそうです。

なお、ほめるときは、

- **より具体的に**
- **その場ですぐ**
- **小さな結果を見逃さない**

ことが基本の3原則です。

「具体的に」とは、先ほどの会話であれば、「おいしい」だけでなく、「この料理は出汁が特にいいね」などと、食べた瞬間に具体的に言えばいいのです。

そして、「小さな結果を見逃さない」ようにするには、たとえば子どものテストの点数が上がらなかったとしても、「苦手な問題ができるようになっててすごいね」など、良くなっている点を探してほめましょう。

②助言を求める

もし、あなたが悩んだり決断できなくて、誰かに助言を求めたいとします。

その場合、どんな人に相談しますか？

私なら、きちんとした答えをくれそうな人、質問した分野にそれなりの知識がありそうな人、親身になってくれそうな人間性のある人、秘密もきちんと守れそうな人などに相談します。

助言を求められるということは「信用されている」という証なのです。

だから、私は相談されることが嫌いではありません。「この人がこんな大事なことを相談してくれるのは、私を信頼してくれているからだ。つまりは私を好きだからだ」と思えて、自尊心が高まるからです。

人に甘えるのが苦手な人や、1人で抱え込んでしまう人は、相手に「私はこの人から信用されているんだ！」という実感を持たせてあげることができていません。

それは近い関係であればあるほど、相手をさみしくさせる行為です。

つまり、**人に相談したり助言を求めることは、結果的に相手が「自分に自信を持てる」材料になる**のです。

ここで気をつけたい点がひとつあります。

人は得意ではないことを聞かれると、自分の能力が試されているような気になるなどマイナス効果が出てしまいます。ですから、**あくまでも相手が答えられそうなこと、できそうなことについてアドバイスを求めましょう。**

これを専門的には「アドバイスシーキング」と言います。

アメリカの心理学者で、ベストセラー『GIVE&TAKE』（三笠書房）の著者、アダム・グラント氏は、「アドバイスを求める」という行為は同僚、部下、上司に影響を与える、もっとも効果的な方法のひとつであると言っています。

これは、会社だけでなく夫婦間でも使えます。

実際にセミナーの生徒さんにお願いして、自宅で実験してもらったのですが、フタが固いビンを持って、妻が夫に「ねえ、これ開けて」と言うより、「ねえ、これ、どうやって開けたらいいかわかる？」と聞いたほうが、より早く夫がビンに手を伸ばしてくれる結果になったのです。

ほめるところもないし、アドバイスを求めることもない場合は、**「感謝」**をしてください。

人は誰かの役に立ちたいと願う生き物です。だから感謝されると嬉しくなり、心が動くのです。

拙著『人づきあいのレッスン』(ダイヤモンド社)の中で、**「ありがとうで返事しよう」**ということを書きました。

これは、小さな日常の中で、相手の何気ない行動に感謝を表す習慣です。

たとえば、

「部長、書類こちらに置いておきます」

「わかった」

ではなく、

「部長、書類こちらに置いておきます」

③感謝する

「ありがとう、助かるよ」

と、返事を「ありがとう」にしてしまうのです。

意識してみると、毎日たくさんの人に「ありがとう」と言う機会があることに気づきます。

ぜひ、「ありがとう」と言って、人をハッピーにしてあげてください。

へたなプライドなど捨てて、大感謝祭を毎日実行するのです。

今挙げた3つの方法は、すべて元手はゼロです。でも、**得るものはプライスレス**です。

「ファンスタンス」で誤解を招くのを防ぐ

「この人は私のことが好きなのかも……」と思ってもらうことで相手からの信用を得ることができると言いましたが、「えっ、でもそうすると変に誤解されちゃいませんか？」と心配して質問してくる人もいます。

しかし、こと恋愛においては、相手が「きっと私のことが好きなんだ」と意識するよう〝誤解〟があるほうがより発展することが多々あるので、これも相手によりけりということになります。

これが「思わせぶりな態度をする人はモテる」と言われる所以（ゆえん）です。

しかしビジネスシーンにおいて、このような誤解が生じて相手が本気になってしまうと、確かに面倒なことになってしまう可能性はありますよね。

そんなとき、私がやっていたのは、

「私、○○さんのファンなんです」

「私、御社の商品のファンなんです」

というように、**「ファンスタンスをとる」**方法です。

あくまでも「ファンスタンス」なので相手にプレッシャーを与えませんし、「ファンです」と言われたら無下にできないのが人間です。

最初からでなくても、次からの〝ファン〟でいい

あるとき採用面接に来た人がスタッフに私のことを聞かれて、「なんとなく知っています。和田ゆみさんのことは……」と言ったそうです（私は和田裕美（ひろみ）です……笑）。

こちらとしてはガッカリしてしまうので減点対象です。

逆に、

「僕、和田さんの本を読んでます。ファンなんです」

と言って、わざわざ本を持ってきてくださると、かなり好感度が違います。

「ファンです」と言われた瞬間に、

「ファンは大切にしたい」

「ファンの期待を裏切りたくない」

という思いがよぎるので、とにかくその人の話を笑顔で愛想よく聞こうとする心理が働くのです。

たとえ相手のことを初対面のときは知らなくても、次に会うまでに調べて情報を得て、

「すっかりファンになりました。○○（商品）を買ったんです」

などと言うことで、フォローできます。

自己肯定感が低い傾向があるのが日本人。
だから自分のことを言うなら、
マイナスなことから。
マイナスからスタートすれば、
どんどんプラスが積み上がっていくのです。

自分のことを話すときは「欠点」から

好かれる人は「マイナス自己開示」をしている

自分のことはなるべく話さないで、聞き上手になってと言いましたが、それは導入です。コミュニケーションがとれてくれば、やはり自分のことをちゃんと伝えなくてはいけないシーンもあります。

その場合に自分のことをしゃべるなら、**「マイナス自己開示」から入る**と好感度大です。

私はＮＨＫ・Ｅテレの『芸人先生』という番組にレギュラーで出させてもらっているのですが、芸人さんはよくしゃべるうえに頭の回転が速く、人から好かれています。

しかし、世間ではよくしゃべって頭の回転の速い人が、いつも「好かれている」わけではありません。

よくしゃべる人でも、それが自分のことばかりでさらには自慢が多ければ、頭がよくても周囲からは煙たがられているはずです。

芸人さんがそうならないのは当然おもしろいからなのですが、なぜ芸人さんだと共感したり、面白いと思って好感を抱くのでしょうか？

実はこれ、多くの芸人さんが**「マイナス自己開示」**をしているからです。

つまり、**〝欠点を笑いに変えている〟ところが好かれる理由**なのです。

ではなぜ、「欠点を笑いに変える」と好かれるのでしょうか。

まず、「自分の欠点を言える」というのは、その人が心を開いている証拠になります。だから、相手も変に虚勢をはらずに心を開きやすくなるので、親近感が湧くのです。

「マイナス自己開示」は相手の気持ちをラクにさせる

心理学に**「つりあい説」**というものがあります。

これは、**「人は身体的魅力が同じくらいの人を結婚相手として選びやすい傾向がある」**というものです。

多くの人は自己評価が低く、「自分なんて……」と思いがちです。だから相手と釣り合っていないと、劣等感がうきぼりになり、引け目を感じすぎてつらくなります。たとえば、すごい美人で頭もよく、ビジネスでも成功しているお金持ちでなおかつ性格もいいなんていう女性がいたら、たいていの男性は引け目に感じて、付き合いたいと思わないそうです。

あくまでも私の価値観ですが、ドレッシングは太るからとサラダに塩をかけて食べる人より、唐揚げにマヨネーズをつけて食べる人のほうが一緒にいてラクです。自分に厳しい人はすごいと思いますが、自分に甘いところのある私にはしんどいのです。

自己否定感が強い日本人だから有効

マイナスの自己開示が有効なもうひとつの大きな理由は、「日本人は自己肯定感が低い」ということです。各国の青少年に関する調査でも、日本人の自己肯定感の低さがよくわかるデータが出ています。

・「私は価値のある人間だと思う」
日本　44・9％
アメリカ　83・8％
中国　80・4％
韓国　84・7％
（2018年　国立青少年教育振興機構「高校生の心と体の健康に関する意識調査」より抜粋）

・「自分自身に満足している」
日本　45・8％
アメリカ　79・3％
韓国　71・5％
ドイツ　80・9％
（内閣府「平成26年版　子供・若者白書」より抜粋）

このように、日本人は他国に比べ、ダントツに自己否定感が強い傾向にあるのです。日本人の謙虚さや真面目さが影響しているという指摘もありますが、そんな日本人だからこそ、マイナスの自己開示が有効と言えます。

漫才やコントは3～5分なので、芸人さんのマイナス自己開示は、「私、ハゲなんです！」「デブですみません」「ブサイクなんです」といったように、ぱっと見でわかるような自虐ネタを使うことが多いです。

誰かのことを「あの人、ハゲだよね」と陰で言ったら悪口ですから笑えませんが、**本人が言っているからこそ笑える**のです。

では逆に、「私は東大出身なんですがね、いちおう」などと初めて会った人に言われたら、どう思いますか？

すごいなぁとうらやみながらも、「自分とは違う」「ああ、完全に負けてる」となる人もいますし、言い方によっては「自慢されている」と感じ、引いてしまう人もいます。自己否定感が強い日本人は、自己評価が低いのが普通ですから、とくにそうなります。

ですから自分のことを話すなら、まずは「マイナスの自己開示」から。相手との距離を縮めるにはこれが有効です。

欠点から伝えることは有利になる

前述したアダム・グラント氏も著書『ORIGINALS 誰もが「人と違うこと」ができる時代』（三笠書房）の中で、**「欠点から伝えることが有利になる」**事例を書かれています。

それによると、アメリカのバブルドットコムを創設したラファス・グリスコムは「自分のビジネスに投資すべきではない5つの最大理由」というマイナスを先に見せるプレゼンをして、見事に330万ドル（約3億3000万円）の資金調達に成功しました。

さらにはその2年後に、同社の買収をディズニーにもちかけたときも、またもや同じように「この会社を買収すべきでない理由」というマイナスのプレゼンをして、見事に４０００万ドル（約40億円）で売却したそうです。

私自身も営業指導をさせていただくときは、「いいことばかり言わない」「あえて欠点を伝える」などの心理的に「人の心が動く」方法をみなさんに学んでもらうようにしています。

マイナスから伝えることで、下記のような明確な３つの利点があるからです。

①自信があると思われる

マイナスを堂々と言える態度を見せると、相手からよほど自信があるのだなと思われます。

②警戒心を解くことができる

いいことばかり言われると、人は「説得されそう」という気配を感じて警戒してしまいます。悪い点を言ってくれることで、逆に素直になれ、警戒心が解けます。

③「本当は悪いことがあるのでは？」と探られない

最初に欠点を聞くと「きっとほかにいいところがあるのでは？」と思えるのですが、

いいことばかり聞くと逆に「何か欠点があるのでは？」と人は考えてしまいます。

さらに、ここに**「系列位置効果」**という、言葉をさらに印象づける方法を加えることもできます。

「系列位置効果」とは、事例の位置によって記憶状態に差が出ることを意味します。**最後にプラス面を伝えると、この効果によって残存効果が出て、いい印象が残りやすくなる**のです。

たとえば掃除機の説明をするとしましょう。

「最初に申し上げておきたいのですが、この掃除機は従来のものに比べて重くなっております。新商品なのに重くなるなんて、ちょっとありえないですよね。軽いものがお好みの場合は考えてしまいますよね……」

と、マイナスを先に伝えてから、

「けれど、重いのには理由がありまして、たったの1回で、これまでの3回分のゴミがあっという間に取れるのです。お掃除が3分の1になるわけです。重いと言ってもわずか50グラム程度ですから、それさえ気にならないなら、こちらが絶対にオススメです」

とつなげると、自信があると思ってもらえますし、相手の警戒心も解けて粗探しをしなくなるという前述の3つの利点があります。そしてさらには、商品のポジティブな側面がより印象に残るのです。

グッと心が動くとはこういうこと。

もちろん、受け手がそんな欠点をまったく知らないのに、いきなり悪口を言うようにマイナス面を言ったり、自信のなさそうにマイナス面をくどくどと言うのはただの文句。もちろんNGです。

「あえて反論」で立ち位置を変える

アメリカのハーバードビジネススクールのテレサ・アマビール教授が、同じ本に対する2つの書評――「賞賛」と「酷評」の2つ――を比べて、「どちらの人が頭がよさそうに感じるか？」という調査をしたところ、批判的な書評家のほうが14％高く「頭がいい」と評価されました。

つまり、**批判的なことを言う人は頭がいい人に思われる**ということです。

確かに、テレビやネットでも相手を批判している人のほうがなんとなく賢く見えると思いませんか？

「自分の意見をしっかり言えること」
「嫌われるのを怖がってないこと」
という行動が、より人への影響力を持つのです。

「そうですね！　いいですね！」とイエスマンのごとく言い続けるのは、「自分の言うことを聞くイエスマンしかかわいがらない」という相手にはいいかもしれませんが、周囲から見れば「ただ媚を売っている人」「意見を持っていない人」、もしくはこの調査のように、「そんなに賢くない人」という印象を持たれてしまいます。

何よりも、自分の意見を殺して生きるのは自分自身がとてもしんどいです。

でもだからといって、真っ向から「それは間違っていますよ」と反論してしまうと、「人の心を動かす」ことからはうんと遠ざかってしまいます。

真っ向から反論されると、人は自尊心を傷つけられるからです。

そうなれば、自分を守るためにさらに頑固になって「自分が正しい」と言いたくなります。

さらに、相手がある程度権力のある立ち場――親や上司――なら、その反論が明らかに正しい場合でも、自分の「立場」における尊厳を守るために、なおさら自分の意見をより頑なに誇示するようになるのです。

一度上げたこぶしを下ろすことは、その人たちにとっては自分をなくすくらいつらいことだと理解してください。

では、どうすればいいのでしょうか?

実はここで、**「人の心を動かしながら反論する」**という話し方が必要になってきます。

私は営業の現場から本社の正社員になったとき、女性ではただ1人の部長という立場になりました。当時30歳になったばかりでしたが、本社にいた100人くらいの社員の中で役職を持つ身としては最年少でした。

もとより、女が意見を言うことは男性以上に生意気と思われる傾向があるうえ、実際に経験も浅いので、意見を言ってもムッとされることが多く「和田は現場あがりで礼儀を知らない」「調子に乗っている」と言われていました。

そんな中で身につけてきたのが、**「徹底的に相手を肯定し、自分を下げ、最後に意見を言う」**というやり方でした。

「①肯定→②マイナス自己開示→③自分の意見」

という流れをつくるのです。

「常務のご意見は本当に勉強になります。私もまったくそう思います。いつもありがとうございます！**（肯定）**

ただ、私は経験が乏しいのでわからないことがあるのです。間違っていたら教えてください（**マイナス自己開示**）

この企画、当初の予算案の倍かかりそうです、現場スタッフには今もいろいろと我慢してもらっているので、不満が出ないか心配です。もし不満が出た場合、こんなすばらしい企画がうまく動かなくなります。その場合、どうしたらいいでしょうか？　いちおう私なりに考えてきたプランがあるのですが……（**自分の意見**）」

という流れで違うアイデアを出すのです。

私の場合、それでも却下されることはありましたが、「生意気だ」と言われることは少なくなりました。

この方法には、**「とにかく遠慮がちに言う」という非言語も必要**です。

反論は勝ち負けではなく、自分にとって優位な方向に持ち込むことが大事です。相手を立てて、表面的には勝たせたままで結果を出すのです。

相手を肯定し、相手のメンツを守ることが約束されていれば、話を聞いてくれる余裕が相手に生まれるのです。

完璧はなんかしっくりこない

そもそも人間は〝欠け〟が好きです。**完璧なものに一瞬は魅せられても、だんだん飽きてくる**のです。

以前、あるテレビのプロデューサーが言っていました。

「芸能界にはキレイな子がたくさんいるけど、やっぱり売れる子はすべてがつくられたような完璧な子じゃダメなんだよね」

私は思わず答えました。

「あ、うれしい。完璧じゃダメという言葉、多くの女性の胸に響きます！」

「うん。まあまあ普通の子がいて、一瞬かわいいところを見たりすると、もっとかわいいところがないかな？って探すんだよね。こういう仕草がいいな、とか見つけるのがいいんだよ。キレイな子にはこんなことはしないんだ」

「なるほど、最初から完璧だとなかなかそれ以上いいところは見つけられないけど、そうじゃないと一つひとつ探して積み上がりますよね」

「そうそう、プラスが積み上がる」

「まさに加点主義。完璧だと逆に減点になるんだね」

欠点も幸せアピールも、伝え方ひとつですべて変わる

最初に自分の欠点を話してしまうといい、と言いましたが、しかし、単に話せばいいというものではありません。

落ち込んだ顔で「いや僕はもう何もかもがダメで……」とうつむいて大きなため息をつかれたら？

「どうせ私は、評価すらされない最下層の人間ですから」とやる気のない感じで吐き捨てるように言われたら？

こんなネガティブな愚痴や自己開示をされたら、好感度が上がるはずはありません。

こういう人に遭遇したとき私は、「あ、そうなんですね～！」と明るく投げ返して退散することにしています（笑）。

「マイナス自己開示」は、「ポジティブな笑い」があってこそ魅力になります。

そうすることで、「この人、自分の欠点を堂々と言っているけど、きっとデキる人なんだろうな」と思ってもらえるのです。

そのために必要なのは、
・堂々と言う
・笑顔で言う
の2つです。これを守るだけで、マイナスがプラスに180度変わります。

マイナスの自己開示は自分の欠点を売りにするためにでもなく、慰めてもらうためにするものでもないのです。

幸せアピールは引き算で！

もちろん、幸せな話もどんどんしてかまいません。マイナスの話ばかりだと、気が滅入りますもんね。

何事も偏らず、バランスが大事です。幸せなことを話すと、幸せがどんどん広がって伝染する効果もあるので、笑顔で伝えてください。

ただし、注意したい点もあります。

たとえば相手が落ち込んでいたり、悲しい気持ちのときに、「私、結婚が決まったの！　ほら、指輪！」といったように、自分のことしか考えない幸せアピールは嫌われます。

相手の様子をちゃんと見て、ちょっとだけ引き算で幸せをアピールしましょう。

「プロフィール効果」を最大限利用する

「マイナス自己開示が大事」と言いながら、私はこの本の「はじめに」で、それとはまったく違うアプローチを試みました。

今までの読者の方には「なんだかいつもの和田さんと違う」と、違和感や嫌悪感を抱かせてしまったかもしれません。

けれど人は、どんな人の言葉に心を動かされたり、信じてみようとするのでしょうか？

好きな人や前向きでエネルギッシュな人の言葉に影響を受けるのは事実ですが、さらに言うと、**ある分野において絶対的な実績があるという人の言葉を、人は特に無防備に信じてしまいます。**つまり、安易に「動かされる」のです。

ですから、私はあえてそれを実感してもらうために書きました。

みなさんは、私が世界2位でもなく本も出していなかったら、素直に私の言葉を受け入れてくれましたか？（笑）

「何の実績がなくても和田さんは和田さんだ！」と言ってくれる人がもしいるとしたら、それは個人的な好意であって、直接会って話したことのある人ではないかと思うのです。

ただ、先ほど人から好かれる秘訣として「マイナス自己開示」の話をしたばかりです。これではなんだか矛盾していますよね？

面と向かって自慢する人は、やっぱり多くの人から鼻につくと思われてしまいます。

これは空気を読んで生きている日本人に、特に顕著な傾向です。

自分のことをひけらかすことなく「いえいえ、私なんて……」と謙虚に振る舞うことが美徳となっているからです。

それでも**「権威のパワー」は偉大**です。

何か自慢できることがあるのなら、ぜひ使いたい。

この矛盾を解決する方法が、**「プロフィール効果」**なのです。

プロフィールに実績を書くのは「自慢」ではなくて「証明」

私のようなビジネス書を書いて、人々に専門的な内容を伝えている人間は、直接会っているときには絶対に自分の自慢などしません。しかし、プロフィールだけは、実績をそのまま、堂々と書いています。

プロフィールに書くことは「自慢」ではなく、「自分の証明」になるからです。

特に学歴は影響力が大きいです。

面と向かって「東大を出ているんです」と聞かれもしないのに言う人はあまりいませんが、プロフィールには書いている人が多いもの。

たとえ本人はさほどそれを誇示したいと思っていなくても、周囲が「書いたほうが大きな価値をつけられるから」と書くことを勧めるでしょう。

有名人をはじめ、よく学歴詐称などの問題が起こりますが、ばれたらすべてを失いそうな危険なことをしてしまうのも、学歴の威力が大きいからですよね。

結局は中身の人間性で勝負することになるので、学歴だけでは人の心を動かすことなどできないのですが、それでも安心し信用してもらえるという材料にはなります。

あるとき、私の名刺を見た友人の経営者から、

「和田さん、あなたは大学の客員教授なんだから、それを名刺に入れたほうがいいよ。大学教授という権威に世の中は弱いんだよ」

と言われました。

そのとき名刺に入れていた肩書きは、「営業コンサルタント・作家」のみだったのです。

今では、言われたとおりに「○○大学客員教授」と記載しています。

人と初対面で話すときに「私、いちおう教授なんですが」とは絶対に言いませんが、名刺に書いてあることでちょっと賢そうに見られます（笑）。

書かれている「自慢できること」が「マイナス自己開示」をさらに引き立てる

ですから、あなたが自慢できることがあれば、遠慮しすぎないで名刺やプロフィールに書いてほしいと思います。

それは学歴や肩書きでなくてもかまいません。甲子園出場でもいいし、絵画コンクール入賞でもいいのです。

あなたの本当のすごさを、きちんと示すのです。

あなたにどんなにすごい実績があっても、相手に伝えなければそれは宝の持ち腐れ。繰り返しますが、ここは遠慮なくいきましょう！

会社員であれば、個人の名刺をつくって、その裏面に書くのもいいと思います。そして、その名刺を出しながら「マイナス自己開示」というギャップで、あなたの魅力を引き立てるのです。

ちなみに私は京都光華女子大学出身ですが、偏差値は当時41くらい。みなさんは名前も知らないのではないでしょうか？

だから私は本のプロフィール欄にはしばらくの間、卒業大学の名前は書いていませんでした。

ところが母校の客員教授に任命していただいてからは、堂々と書いています。

それは、**大学名よりも教授という肩書きが人の信用を得られる**からです。

つくづく計算高くてイヤなヤツだと自分でも思いますが、私が伝えたいことは、本当に体を張って身につけてきたことで、絶対に人の役に立てる自信があるということ。

権威や経験によって私の言葉をもっと信じていただけるようになるのなら、私はいやらしく遠慮なく、どんな材料だって使います。

これは私だけではありません。

プロフィールに出身大学を書いている人といない人をじっくり見比べてみると、書いている人の大学名は、やはり誰もが知っている有名校ばかりなのです。ちょっとうらやましいですが……（笑）。

ただ一番いいのは、第三者に自分のいいところを言ってもらうことです（これについて、詳しくは216ページの類推話法を参考にしてください）。

そのために、お互いがつねにほめ合える環境を日頃から意識してつくっておくといいでしょう。

2章まとめ

◎「雑談力」は人との距離をぐっと縮める。

◎人は「自分の話を聞いてくれる人」「ほめてくれる人」に好意を持つ。

◎助言を求めたり感謝をすることでも、人の好意は高まる。

◎人から好かれるには「マイナス自己開示」が大切。完璧な人に、人は嫌悪感を抱く。

◎人に自慢できることがあるのなら、面と向かって言うのではなく、プロフィール欄や名刺に書く。それは自慢ではなくて、実績の証明。

3章

相手のイエスが
どんどんもらえる秘訣

人の心を動かすには「イエス」を積み上げる！

「人の心を動かす」というのは、お互いの同意のもとにのみ成り立ちます。そのためには、相手の「イエス」を積み上げることが大事。

そこで3章では、「イエス」を徹底的に積み上げていく方法をまとめました。

「そうですね！」が返ってくる話し方

相手から「イエス」を引き出す方法として王道なのが**「一貫性の法則」**です。

人は「そうですよね」と〝ずっと肯定〟していると、反論しにくくなる、つまり、なんとなくすべてイエスと言いたくなるとされています。

これが「一貫性の法則」ですが、これには脳の仕組みが関わっています。

人間にはいろいろな感情や感覚（五感）がありますが、脳科学の専門家によると、喜怒哀楽の喜と怒や哀では、脳の反応する場所が違うと言います。

ポジティブなこと＝イエスと、ネガティブなこと＝ノーでは、発生する脳内物質も、それが伝達される通路も違うらしいのです。

つまり、何度もイエスの返事をしている状態というのは、脳が相手への共感を繰り返し行っていることになります。

そうしているうちに、脳がその反応に馴染んでいき「そうは思いません」とか「それは違うと思います」といったノーの返事をすることに対して、ストレスを感じるようになってしまうのです。

ですから、「ノー」と言いづらくなるわけです。

私もこの法則を使って、営業シーンではできる限り「そうですよね」と肯定を続けて言ってもらえるように心がけています。

この方法を**「イエス・セット法」**と言います。

たとえば、とても寒い日にお客様と会ったとしましょう。

和田「最近寒い日が続きますよね」
相手「そうですね」
和田「でも、今日は天気がよくていくぶん暖かいですね」
相手「そうですね」

という流れが基本です。ここで天気の話をしているのは、2章でお話しした雑談力のひとつ、**「今ここトーク」**です。お互いが同時に体験していることを話しています。

実は、**このときに重要なのは動作**です。

私のセミナーや講演に参加してくださったことがある方はご存じかと思いますが、実は私が相手より先にうなずいています（笑）。そうすることで、動作で相手を誘導できるからです。

先の会話で言えば「寒い日が続きますよね」の「よね」のあたりでコクンとうなずいて、言葉と動作をセットにしているわけです。

いいアイデアも肯定し続けることで生まれてくる

スタンフォード大学の起業家育成の授業では、アイデアを生み出すために「YES AND」というワークをしています。

これは、２人組になって「YES AND（それいいね！ じゃ、もっとこうしよう）」と**相手の意見を肯定して、さらにアイデアを提案し続ける**ワークです。

A「今度、先生のバースディパーティをしよう」
B「それいいね！ じゃ、先生がよく行くカフェを貸し切りにしよう！」
A「それいいね！ じゃ、先生が好きな歌をみんなで歌ったら喜ぶかも！」
B「それいいね！ じゃ、先生と一緒に撮影した写真でアルバムを作ってプレゼントしよう」
A「それいいね！ じゃ、アルバムにはみんなからのコメントを書こうよ！」
B「それいいね！ じゃ、先生の大好きな愛犬ジョンの肉球スタンプもつけよう！」

A「それいいね！　じゃ、ジョンにプレゼントを運ばせようよ」

というように、ノンストップでアイデアを出し続けます。この方法を使うと、**お互いをイエスで肯定するので、どんどんよいアイデアが出てくる**のです。

私もセミナーで実際にやるのですが、5分経っても10分経っても話が終わらない人が多く、いつも「もう終わり〜！」とストップをかけるまでアイデアが止まらなくなります。

ここで「ノー」と否定してしまうと、会話はほとんど続きません。

また、たとえ「イエス」と返事していようと、明るく楽しそうに笑顔で話していないと、この方法でも効果はありません。

1章でお話しした「非言語の言葉」、つまり**「表現」が加わっていなければ、「ノー」と言っているのと同じになってしまう**ので、注意してください。

イエスがもらえる3つの和田式質問

営業時代は、さらに相手から「イエス」がもらえる工夫を自分なりに考えました。
それが次の3つです。

和田式質問① 『オールオアナッシング法』
➡「どちらかというと、ないよりあるほうがいいですよね」と比較を出す聞き方

「お金は欲しいですか？」とストレートに聞かれたら、「欲しいけど、どうだろう？ いっぱいはいらないなぁ。そもそも今お金持ってないし、給料安いし……」などと一瞬で考えさせてしまいます。

しかし、**「どちらかというと、お金はないよりあったほうがいいですよね」**と聞くと、相手もあれこれ考える必要がないため、「そうですね」と答えを出しやすくなります。「あるかないか」の2択なので、「ある」を選びやすいのです。

和田式質問②『小さじ法』

↓あえて〝あいまい〟にする

たとえば、「すごくお腹すいてませんか?」と聞かれたら、「いや、そこまでではない」となる可能性があります。

でも、ここに**「ちょっと」をプラスして「ちょっとお腹すきませんか?」と聞く**と、断定せず、ややあいまいになるので「まあ、そうかも……そうですね」となりやすいのです。

和田式質問③『ためらい演出』

↓ためらいがちに聞く

最後の質問法は、少しためらいがちに聞くこと。

決めつけて「そうに決まってますよね」という聞き方をすると、心理的な抵抗が起こります。

たとえば、「英語を話せるようになりたいですよね?」と決めつけて聞くのではなく、「英語は……話せたほうがいいかと……思ってらっしゃいますよね……?」と、

少し伺うような感じで自信なさそうに聞くのです。

こうすると押しつけがましくないので、「まあ……ね」と、あいまいではありますが、「イエス」が返ってくることが多いです。

聞き上手が使う「逆・イエスセット法」

「聞き上手」と言われるのは、その人と話していると気分がよくなって、聞かれてもいないのに、ついついいろんなことをしゃべってしまうといった人です。

聞き上手な人を観察してみると、自分から話題を提供して場を盛り上げるということはほとんどしません。

そういう人は、「そうだよね～」「そうそう、あるよね～」などと相手が振ってきた話題に対し、うなずきながらあいずちを打っています。

つまり、**「イエス」を繰り返す**のです。

相手からすると、よく話を聞いてくれるうえに同意もしてくれるものだから、どんどん気分がよくなって、ついいろんなことを話してしまいます。

先ほどの「イエス・セット法」は相手にイエスと言わせるトークの技術ですが、聞き上手はその逆。

自分がイエスを繰り返すことで、相手の気分をよくし、相手の気持ちを自分のほうに惹きつけてしまうのです。

これは言ってみれば「逆・イエスセット法」。

もちろん、聞き上手な人がそんなことを意識しているわけはありませんが、自然とそうなっているのです。

質問話法を使ったトークのしかた

意地でも質問で返す！

まずは次の会話を読んでください。

「ご主人様いらっしゃいますか？」

電話営業でこう話し始めたとしましょう。

「おりませんが、どちら様ですか？」

相手からこう返されて、

「○×不動産の者です」

と答えたらどうでしょうか。

「うちは必要ありませんから！」

と、最初から電話を切られてしまうかもしれません。

では、こういう感じでいったらどうでしょうか。

「実は、ご主人様から△△の件でお問い合わせいただいた○×不動産の者ですが、奥様、まだお聞きになってないでしょうか？」

「聞いてませんけど……」

「説明が遅れて申し訳ありませんでした。実は旦那様と△△のお話をさせていただきまして、お話を進めさせていただいているのですが、もちろん、奥様にもお伝えしなければいけないことだったのですが、奥様はちょっとくらいご興味はありますでしょうか？」

「あまりないですね」

「そうですか。もちろん、旦那様にもそうお伝えいただければ結構なんですが、旦那様は何時頃お帰りでしょうか？」

後者の会話は、すべて質問の形になっているのがわかると思います。

これが**「質問話法」**です。

密会現場をスクープされたタレントは質問話法でうまく逃れている

質問話法のポイントは、相手に質問されたらそれに答えるのではなく、質問で返すということ。それだけですが、慣れないうちはこれが意外と難しいもの。

たとえば、密会の現場をスクープされて記者会見に臨むタレントさんなどで、この質問話法を上手に使っている方をたまに見かけます。


「今月の3日の夜10時頃ですが、女優の××さんとご一緒されていましたよね？」

「ええと、3日？　夜？」

「そうです、3日の10時頃ですが」

「そうですか？　夜？」

「3日の夜です」

「××さんとはこのところ毎日、映画の撮影で一緒だったから、3日の夜と言われて

3日の10時頃に
3日?、夜?
そうです 3日の10時頃
夜?
3日の夜です
3日の夜って あなたはどこに?、

もねえ。3日の夜、あなたはどこにいらっしゃったんですか?」

「いえ、私ではなく、□□さんが××さんと横浜のホテルでご一緒ではなかったかと……」

「いやあ、そうかな? そのとき僕、飲んでいました?」

「その前にレストランに立ち寄られているので、たぶんお酒も飲まれていたんじゃないかと……」


インタビュアーに逆質問するというおとぼけ芸で主導権を握る。そして肝心な部分になかなか踏み込ませない。こんな会見巧者のタレントさんがたまにいます。

もちろん、タレントさんで「質問話法」という言葉を知っている方は少ないと思います。

でも、俳優さんなどは演じる職業ですから、常に人の心理と向き合っています。そこで、**相手と心理戦となったとき、自分が主導権を握るために無意識に質問話法を繰り出すことができる**のだと思います。

こういった例を見ても、質問話法の有効性がわかりますよね。

質問話法で同意を導く

「質問に質問で返す」話法は、会話から人とつながるためにすごく役立ちます。

一つは、先の問題を起こしたタレントさんの例のように、答えたくないことを答えず、それでいて相手の心証を悪くせずにかわすような場合。

なんとか核心に迫る言葉を引き出そうと質問を投げかける相手に対する逆質問がうまくできると、いつの間にか会話の主導権は相手からこちらに移ってしまいます。

質問したら何かしら答えが返ってくると思っている相手は意表を突かれるばかりか、自分が答えるほうに回るという主客逆転が起きて、主導権を取られてしまうわけです。

相手をかわす必要がない場合でも、質問に質問で返す話法は、楽しく会話をするのに有効です。


「○○さん、パワースポット巡りが趣味だよね？」

「そうそう、この前も△△ってところへ行ってきたんだけど、知ってる？」

「知らないけど、どんなところ？」

「お寺や神社じゃないけれど、すごくパワーを感じるの。じゃあ、××は行ったことある？」

「あるある。あそこは空気が違うよね～」

「□□さんには▽▽がいいかも。知ってる？」

「聞いたことあるけど、行ったことはないなぁ」

「じゃあ行こうよ！　いつがいい？」

「えーっと、○月は？」


こんなふうに会話が弾むっていいですよね？　なんだか盛り上がって楽しい場になります。

引っ込み思案の人はつい受け身になってしまうので、相手の質問に答えるだけになってしまうことが多いもの。

でも**「聞かれたら聞き返す」のは会話の礼儀**です。

「こんなこと聞いていいのかな」と遠慮してしまうのかもしれませんが、相手に質問しないのは、やはり失礼であると私は思っています。

世の中には言いたいことだけ言って、相手に質問しない人はとても多いです。でもそれは、それだけコミュニケーションがとれていないということなのです。

質問者が会話の主導権を握る

「そんな質問ばかりしていたら、自分のことを話せなくてプレゼンなんてできなくないですか？」

と心配顔でセミナーの生徒さんに聞かれたことがあります。私はこう答えました。

「確かに、それは心配ですよね？　でも、たとえば誰かといたら両方が話したいことがあると想定した場合、どっちが先に自分の話したいことを話すかってことなんです」

「なるほど」

「私としては、対面する相手がいた場合には先に聞き役に回りたい。これは営業のときの習慣です。それに聞き役に回ったほうは得なのはわかりますか？」

「先に相手の情報が取れる……？」

「そう、そのとおりです！　さらにもうひとつメリットがあります」

「なんですか？」

「会話の主導権を取れるんです！」

「聞き役なのに？」

「そう！　聞き役が質問するからです」


これは、たとえばカラオケボックスで誰かに歌ってもらう曲を選ぶ人になるか、曲を選ばれて歌う人になるか、ということです。

選ぶほうはその場の雰囲気や持っていきたいムードに合わせて曲を選べます。この選曲こそが「質問のチョイス」であり、質問によって会話の方向性を決めることができるのです。

私は相手を理解しようとしているか?
自分のための言葉を発していないか?
一度立ち止まって考えてみましょう。

言葉になっていない相手の感情を探る

1人妄想トレーニング

私は仕事柄、日常的に**「相手の感情はどんなものか?」**と考えるようにしています。

たとえば、ものすごく怒っている人を見たら「わかってもらえないことが悲しいのではないか?」と考えるし、いつも威張っている人がいたら、「何かコンプレックスがあって、それを隠したいのではないか?」と探ります。

いつも「私なんかダメ」と言っている人は、ダメなところを直したいのか、「ダメじゃないよ」と言ってほしいのか探ります。

つねに相手の感情の深い部分を探っているわけですが、これはそうすることで、相手が求めている言葉が見つかりやすくなるからです。

ただし、目の前に相手がいるときは、特に被害妄想にならないようにしなくてはいけません。

怒っている人が目の前にいるときに、「私が嫌いなのかな」と自分にベクトルを向けてしまうと、1章でお話ししたように、空気を読んで影響を受けたことになってしまいます。

ですから、「なぜこの人はイライラしているのか?」と考えるようにします。


さらに、こんなことを暴露すると変態ぶりがばれてしまうのですが、私はカフェや電車などで街行く人たちを見ながら、勝手にその人の心の声を妄想しています。

たとえば、重そうにスーパーの袋を抱えて歩いている女性を見たら、

(ああ、重い……こんなにたくさん買うんじゃなかった。でも、ビールとポン酢が安かったんだもん。ふぅ……)

あるカップルの女性が「こういうマフラーはそうやって巻いたらダメなんだよ。もっとこうやって……」と彼氏のマフラーに手をかけたときに、その彼がムスッとして「うん」と言いながら早歩きで先に行ってしまったシーンを見たときは、

(うるさいな。いちいち上から目線でアドバイスすんなよ。俺はこれでいいんだよ)

こんなふうに、内側のセリフを心の中で書き起こすのです。

もちろん、これがまったく当たっているわけではないでしょうし、当たっているかどうか確認する術もないのですが、**心の声を妄想することで、言葉になっていない感情を言語化する能力が身につく**と思っています。

ついでに、もしその人と会話をするなら……と考え、

「安いとたくさん買いすぎちゃいますよね～。私もなんです」

「ファッションってそれぞれの好みがあるから、合わせるの大変ですよね」

などと、相手にかけたくなる言葉も想像しています。

「人が何を求めているのか？」がわかれば、新しい商品やサービスを生み出せます。

ですから、顧客の心理を想像したり妄想したりすることは、マーケティングの分野でも非常に重要です。

その点から言って、私のこの変な妄想習慣も捨てたものではないのです（笑）。

あなたも、ぜひやってみてください。

あえてネガティブな要素を探る

あえてネガティブな要素を妄想することもあります。

これは決して相手の不幸を探しているのではなく、健康に対して悩みのないときより病気になったときのほうが健康に関心が行くように、**「ネガティブなことを解消したい」という願望のほうがより顕在化しやすい**からです。特に、今のように物があふれ、便利になった時代は〝求めているもの〟がわかりにくくなっていますよね。

私がコンサルタントとして企業のサポートをするときは、問題点や困りごとを明確にし、それを解消してさらなる売り上げアップと人の向上を目指しています。

スタートはネガティブ探しでも、結果的にはかなりポジティブに働くのです。

マイナスはプラスになる

ちょっと脱線してしまいますが、以前私が出演している『芸人先生』で、アンジャッシュのお笑いがどうやって生まれるのかを解説していました。そのときコンビの1人、渡部建さんが新しいネタ探しの方法として、こう話していました。

「若くてあまり面白くない放送作家をコント会議に呼んで、アイデアをたくさん出させるんです。そのアイデアはやっぱりたいしたことないんだけど、『それだったらこうしたほうがいいんじゃない?』って僕と児嶋(一哉)で言える。そういうやりとりからアイデアが広がって、面白いコントができる。つまりダメなアイデアを捨てない。むしろ活性化させるために、非常に大事にするんです」

マイナスはプラスになる、ということです。

これを私は**「ダメ糧法(かてほう)」**と名付けました。

この「ダメ糧法」の例をさらに挙げると、ラーメン工場で捨てていた麺のほうがおいしいからと集めて作ったのが、「ベビースターラーメン」です。

このようにネガティブなことであっても、とても大事なのです。

ですから、相手の〝求めているもの〟を探すために、あえてネガティブな側面や「悩みは何だろう」というところから妄想してみましょう。

相手の悩みを想像してみる

人の悩みはエンドレス

人の悩みというのは、お金、健康、恋愛、仕事、そして、それにまつわる人間関係がほとんどですよね。

かくいう私の悩みも、ずっとこのあたりをさまよっています（笑）。

そしてこれらの不具合を直したいと願うときに、心が動いて、それが行動につながっていきます。

人間の悩みは尽きないもの。

病気になれば健康を求める。

健康になれたら仕事を求める。

仕事が見つかるとそこでの人間関係に悩む。

人間関係の問題が解消してきたら、もっとお給料が欲しいと悩む。

お給料が上がったら、自分の人生はこれでいいのかなと悩む。

仕事の悩みが解消してきたら、好きな人がいないと出会いを求めてまた人間関係で悩み、自分のコンプレックスを解消しないと恋愛できないと、容姿に悩む……。

病気のときには、自分の容姿について考えもしませんよね？

このように、**悩みはエンドレス**なのです。


だから私はいつも想像します。

「あの人の悩みは何だろう」

「あの人の欲しいものは何だろう」

「この人が抱えている問題は何だろう。そして解決方法はあるだろうか」

そこまで考えていくと、私の中でいくつかの質問が生まれます。そして、それを次の公式に当てはめます。

公式①「○○だったらいいと思いませんか」

「食べても太らない体になれたらいいなと思いませんか？」

↓（ダイエットが続かないという悩み）

「一生お金に困らない人生ならいいと思いませんか？」

↓（老後や定年退職後のお金が心配だという不安）

「仕事でもっと評価が上がると嬉しいと思いませんか？」

↓（がんばっても評価が上がらないという不満）

これは**相手の話をきちんと聞いて、よくある悩みと組み合わせる**ものですから、誰にでもできます。

立ち位置チェンジで妄想する

私は自分の気に入ったものがあると、ついつい周囲にオススメしてしまうのですが、「ふるさと納税をしたらいいよ！」などと勧めても、「そうなんだ！　じゃあ、やってみるね」と言いながらも、なかなかやろうとしない人もときどきいます。

もちろん、趣味や価値観の違いもあるので、すべての人が私の意見に同意する必要はありませんから、それで終わっても全然かまわないのです。

しかし、**本人が「欲しいな」「やりたいな」と思っているのに、なぜすぐにしないのか？　そこには理由があるはず**です。

そこで、「あの人は決められない人だから……」で終わらせていたことを掘り下げて考えてみましょう。


たとえば私の場合、どんなにいいと思うようなことでも、なかなか動けない案件がたくさんあるのですが、その理由はたいてい「めんどうくさい」です。

筋肉をつけたい！↓でもジムはしんどい↓続かない↓めんどうくさい、と、「結果」は欲しいけれど、その前段階にある「行程」がめんどうくさくなり、それが高いハードルになってしまうのです。

これもたいていの人が感じる共通点です。

ですから、私はここでも次の公式に当てはめます。

公式②「きっと○○（マイナスワード）ですよね？」

たとえばこんな感じです。

「ジムはイヤですよね」

「続かないですよね」

「めんどうですよね」

このように想像した相手の内面の声を自分の言葉にして、聞き返すのです。

こう言われると相手も「そうそう！」となって、**共感**が生まれます。そして、**「わかってもらいたい」という気持ちに訴求するので、心が動く**のです。

先ほどのふるさと納税を勧めたときの会話の続きを例にしてみます。

・相手の立場を考えない質問

「まだ手続きしてないの？　ネット画面で商品選んで、あとで自治体に書類を送るだけだよ」

「うん。そうだね……（なんとなくめんどうだなあ……）」

・相手の立場に立った「共感質問」

「でもさあ、ふるさと納税とか、こういう手続きって、みんな最初はめんどくさそう……と思うよね？」

「そうそう、なんか難しそうなんだよね」

「わかる～。私も最初はそうだった」**（共感）**

「そうなんだ！」

「実は知ってたのに、めんどうくさそうでなかなかできなかったんだよね。でも、やらないともったいないなあと思ってトライしたら、すごく簡単だった！」

「そうなんだ！　めんどうじゃないの？」

「思ったほどじゃないよ。やるとお得がいっぱいだよ！　やってみようよ！」

「そうか、やらないともったいないよね」

質問が違えば、これだけ反応が違います。どちらがよい会話かは、考えてみるまでもありませんよね。

自分に同意してもらいたい。
自分をほめてもらいたい。
人はそういう生き物です。
相手との距離を縮めるには、
このことを忘れないことです。

何事もまずは受けとめてから

いきなりの反論はしない

相手の悩みを理解し、さらに共感することは大事ですが、そうは言っても、相手の意見に反論したくなるときもあります。

しかし、反論すれば相手の自尊心をひどく傷つける可能性もあるし、口論になって対立してしまうこともあります。

そうなると、本来の目的である「人の心を動かす」ということからはどんどん離れてしまうので、**最後まで話を聞く努力が必要**です。

相手の話をまずは一旦受け入れて肯定し、話が一段落したら、言い方に注意しながら自分の意見を言うようにしてください。

私は営業時代の経験から、反論の方法に関しては大きな失敗から得たことがたくさんあります。

実は新人の頃、攻撃的で私の言うことにいちいち反論してくるお客様に対して、「そうは言っても時間ないし」と言われたら「でも、時間は作るものですよね」と反論し、「あなたは営業だから話がうまいねえ」と嫌味を言われたら「違います、そんなつもりで話してはいません」と否定してしまっていたのです。

このようなトークでは、当然ながら契約になりませんでした。

ですから、いきなり反論はせずに、まず最後まで相手の話を聞くと心がけるようになったのです。


「そうは言っても時間ないし」

「そうですよね。○○さんがお忙しいことはわかっているんです。だからこそ（イエス・ソー・ザット法。177ページ参照）、意識的に時間を作ってもらえたらと思うのです。○○さんならきっとなんとか捻出できると思っています」

「あなたは営業だから話がうまいねえ」
「あはは、そうなんですよ！　毎日お客様の前で最高の説明ができるように、練習しているんです！　いい商品ですから、ちゃんとお伝えしたいので。そう言ってもらえて嬉しいです」

このように、**反論を受けても相手の意見を肯定してみたところ、みるみる契約が取れるようになった**のです。

・NG例

相　手「あー、映画面白かったねえ」
あなた「え〜、ぜんぜん！　どこが？　主人公が原作とイメージ違いすぎて無理」
相　手「そうなんだ……」

・改善例

相　手「あー、映画面白かったねえ」

あなた「そうだね！　ただ私は主人公が原作のイメージと違う気がして……。どう思った？」

相　手「そういえばそうかも。私はそれよりも……」

相手の言ったことを肯定するというのは、相手の意見はこうなんだ、と理解することです。

英語で言うと「different」。人それぞれ違うのだから、すべて同じでなくていいんだと受けとめるのです。

「ああ、この人は間違っている」と「wrong」で判断してしまうと、人を理解できません。

まずは肯定してから提案する

人は相手から「そうは思わない」と言われた瞬間、自分の意見に自信がなくなったり、反論する相手を不快に思ったり、相手から嫌われていると思ってしまう傾向があります。

ですから、相手が自分と違う意見を言ったとしても、最初から「それは違うよ」と全面否定せずに肯定することで、同意に導くことができます。

「この人は私の味方ではない」と思われてしまったら、さらなる抵抗があるだけ。そそれでは人に影響を与えることはできません。

あなたが相談を受けたという会話例で見てみましょう。

相　手「私はこういう考えなの」
あなた「でも、それは違うんじゃない？」
相　手「なんで？」
あなた「だって、君は利用されているだけだ」
相　手「そんな……私が信じている人を悪く言うなんてひどい！　もういい！」
あなた「せっかくアドバイスしているのになんだよ！」

こんな会話になったところで、人の心を動かすことはできませんよね。

でも、こう言ってみたらどうでしょうか？

相　手「私はこういう考えなの」
あなた「うん、そういう考え方もあるね」
相　手「でしょう？」
あなた「うん。僕とは正反対の考えだから、すべてを理解できたわけじゃないけど、君がそういう気持ちなのはわかる気がするし、ある意味正しいのかもしれない」
相　手「ありがとう！　わかってもらえて嬉しい」
あなた「うん。そんなに前向きでがんばっているからこそ、僕は君ならもっと違うやり方でもできるかなと思うんだ」
相　手「そうかな？」
あなた「うん。君にはもっと可能性があるから、いっそのこと環境を変えてしまったほうが活躍できると思うよ」
相　手「そうか。そういうことも考えてもいいよね」
あなた「自分のことって見えないから、自分を過小評価しないように、もっと話し合ってお互いがんばってみよう」

こんなふうに会話が前向きに変化していきます。

「でも」を「だから」に変える

きっと私の了見が狭いのだと思いますが、話をしているときに「でも」と言われると「反論がくる！」と身構えてしまい、ついには相手に軽く不快な感情を抱いてしまうことがあります。でも、これは私に限ったことではありません。

何度も言うように、**人は肯定してほしい生き物なので、誰だって否定したり反論してくる人を好きにはなれない**もの。

だからこそ、「でも」の使い方には気をつけなくてはいけません。

そこで、私が編み出した技が「YES・SO・THAT（イエス・ソー・ザット）法」です。

よく使われるビジネス話法に、**「YES・BUT（イエス・バット）法」**というものがあります。

これは「時間がないんです」と言われたら、「時間がないのはわかります、お忙しいですもんね。でも、時間は意識的に作るものなんです」と、「イエス」で一旦肯定してから、「しかし（ＢＵＴ）」でひっくり返すという方法です。

でも、私はこの方法では、たとえ論破できたとしても人の心を根っこから動かすことはできないんじゃないだろうかと感じたので、**「でも」を「だから」に変えて「イエス・ソー・ザット法」**としたのです。

相　手「会社を辞めたいんです」
×↓あなた「でもスタートしたばかりじゃないですか。まだ何もわからないのに」
○↓あなた「そうなんだ、大変だね。でも、だからこそここが山場で踏ん張り時かもしれませんね」

こんなふうに「でも」を「だから」に言い換えると、相手を否定せずにすむので、お互いに気分よく話すことができます。

自分の中のネガティブマインドとどう付き合う？

へこんだときは「プラス自問」をする

私たちは生身の人間ですから、へこんでいるときや気分が上がらないとき、自分を肯定できないときは、「目の前の人のことを理解して受けとめよう」「話を聞いてあげよう」という気持ちにはなかなかなれません。

そうなってしまったら、人の心を動かすどころではありませんよね。

そんなとき私は、まず自分と会話するようにしています。

これが「プラス自問」です。

「私はどうしたらワクワクできる？」

「私は何を不安に思っている？」

「私の不安は今にも実現してしまうの？」

「へこんでいて何かプラスがあるの？」（ない）

「自分はどうなりたいの？」

「どんな結果を求めているの？」

「そのために何をしたらいいのだろう？」


こうやって自問していくと、だんだんと雲の切れ間からサァーッと光がさすように、少しずつ気持ちが上向きます。そして、気持ちを切り替えられたりするのです。

マイナス思考になっているときは、下向いて穴を掘っている状態です。そんなときは無意識に「私なんかダメだ」「○○が不安だ、どうしよう」「こんなことが起きたらどうしよう」「もうムリだ」とマイナス自問をしてしまうので、**プラス自問をすることで、少しだけ自分の顔を上げることができます。**

相手の承認欲求を満たしてあげよう

人の心を動かすには、その人の〝求めているもの〟を見つけることだと何度も言っていますが、一番わかりやすい人間共通の願望があります。

それは**「承認欲求（しょうにんよっきゅう）を満たしてほしい」**というもの。

「承認欲求」は、人が生まれ持って抱えている、ものすごい欲求のひとつです。SNSで「いいね」の数を求めたり、フォロワー数が人の価値を決めたりするのは、まさにこの欲求があるからです。

たとえば、一部の子どもはゴミが落ちていると、まず拾う前に「誰か（お母さん）が自分を見てくれているか？」を確認するそうです。そして誰も見ていなかったら、ゴミは拾わないというのです。

「ええー！」という感じですが、他人から「いいね」を欲しがるのはこれと同じことです。〝人が見ている〟ことが基準。**人から評価をもらえることが行動の動機づけと**

なるのです。

承認欲求は2つある！

心理学者・マズローが提唱した**「人の5段階の欲求」**はご存じの方も多いと思いますが、念のため説明しておきましょう。

人には**「生理的欲求」「安全欲求」「社会的欲求」「承認欲求」「自己実現欲求」**の5段階の欲求があるとされています。

食欲、性欲（排泄欲）、睡眠欲という「生理的欲求」が満たされると、今度は安全な場所を求めます（安全欲求）。

そして、安全が確保されると、集団への帰属や愛情を求めます。この「社会的欲求」が満たされていないと、孤独になって不安から鬱になりやすいと言われています。

人間の欲は果てしなく、生命の安全が確保されて、社会的な居場所ができたら、ごく自然に次の欲求にジャンプします。

それが「承認欲求」です。これは、他者から評価されたい、認めてもらいたいとい

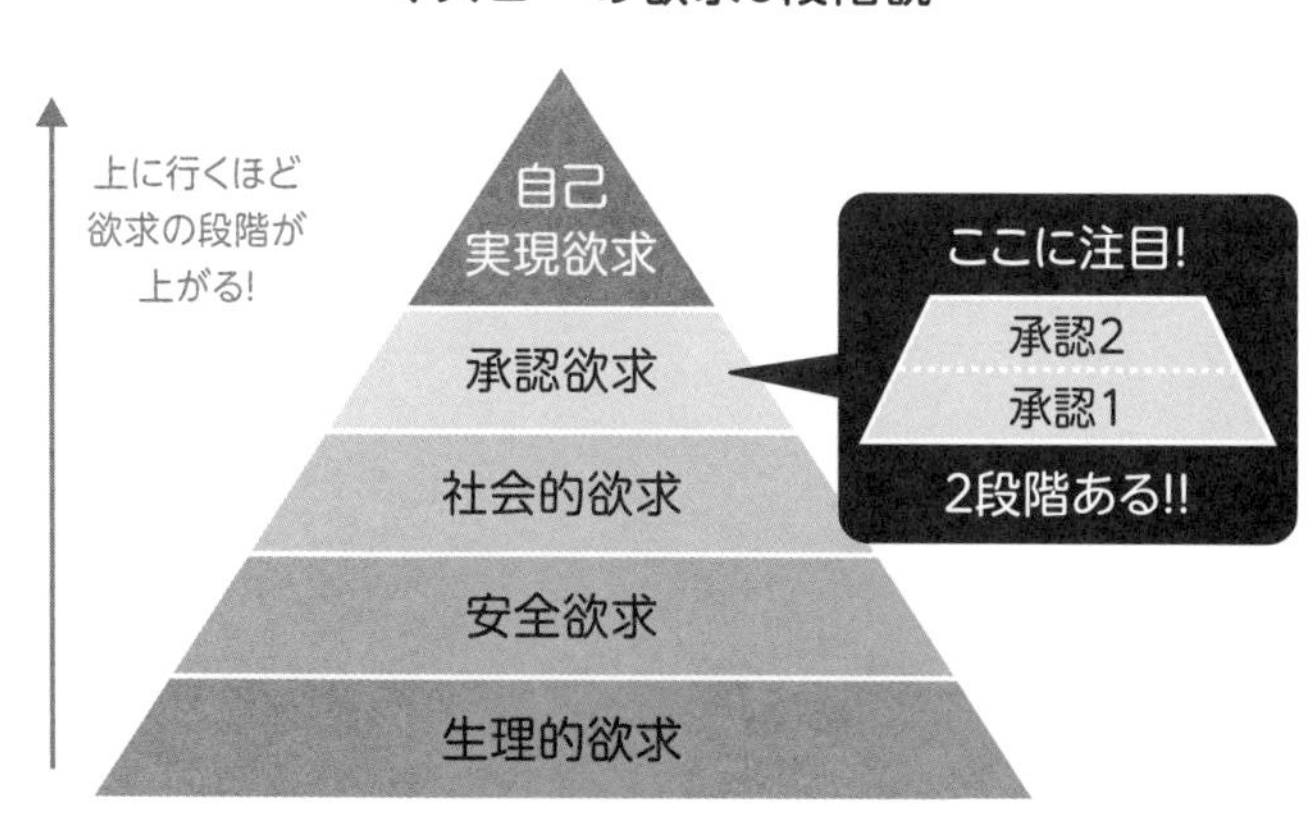

う気持ちのこと。

出世したい、モテたい、ヒットを出したいなどもこの欲求で、これが人間の本能のひとつなわけですから、**人がほめてもらいたいと思うのは、すごく当たり前なこと**なのです。

ここからが大事なのですが、この承認欲求には、**①他人に依存したもの、②自己完結できるもの**の2種類があるのです。

他人からの「いいね」を求めることで、自分の存在意義を見出そうとするのは専門的には「低い承認欲求」と言われます。

逆に、自分を磨いて技術を向上させていく自立型は、自分で自分を評価するので「高い承認欲求」と言われ、他者からのコントロールを受けません。

承認欲求を満たすにはどうすればいい？

相手の承認欲求を満たすには、ほめるだけでも圧倒的な威力を発揮しますが、もっと人の心を動かすのが**「あなただけ」**というニュアンスです。心理学ではこれは、ゲタをはかせておいて人をやる気にさせるテクニックとして扱われています。

たとえば、あなたがある女性をキレイだとほめたとしましょう。そこで、

「どうせみんなにキレイって言っているんでしょう？」

とネガティブに言われたら、

「ううん。僕はうそがつけない不器用な人間だから、思ったことしか言えない。だから世界で初めて、君だけに言った」

と、より**言葉に「思い」を込めて、「あなただけ」感を入れていく**のです。

こうすると、自己承認欲求をダブルで満たせます。

また、「あなただけ」は「ほめ言葉」とセットするだけでなく、ほかの言葉と使っても、やはり相手の自己承認欲求を満たせます。

「△△さんだから言いますけど、実は私、悩みがあるんです」

「みんなは知らないことだけど、あなただけに教えるね」

こんな言葉を聞けば、「ああ、私は特別なんだ！」と思ってもらえます。

この**「選ばれた特別感」が相手の心をつかむ**のです。

自分で自分を認めてあげよう

この章の最後に心理学の話をわざわざ持ってきたのは、他者にコントロールされたコミュニケーションで苦しくならないためです。

相手の承認欲求を満たしてあげても、自分はどうでしょうか。自分で自分を認めてあげられなければ、人と関わることさえイヤになってしまうかもしれません。

ですから、自分のことは自分でケアできる方法を知っておくといいでしょう。

私たちの周囲にいる人はたいてい、ある程度の帰属できる場所のある段階にいるので、**多くの人が「承認欲求」（①依存型の承認欲求）のステージにいる**わけですが、**自分のことはできれば②（自己完結型の承認欲求）での自己完結をめざしたい**ところです。

ベストセラーになった『直感と論理をつなぐ思考法』（佐宗邦威／ダイヤモンド社）では、人は他人の評価ばかり気にするあまり「他人モードにハイジャックされた脳になっている」と書かれています。

他人からの「いいね」に拘束されていて、自分モードで考えることがないというのです。それはとてもしんどいですよね。

自分で意見を言える人になるには、承認欲求のより高い場所に行って「自分を磨くことで自分が自分を承認する」こと。

つまり、自分がいいと思ったことをとことんやったり、ワクワクすることに没頭する自分を楽しむこと。そんな生き方を自分がすばらしいと思うことが自己評価を上げるのです。

私はよく神社にお参りしますが、実はこれも自己評価を上げる方法のひとつです。

神様がいるのかどうかは、正直わかりません。見えませんから。でも、見えないけれどもあたかも神様に見られているかのように思うことで、人が見ていないところでもがんばろうと思える自分ができるのです。

「お天道様が見ている」と昔の人はよく言いましたが、人がいないところで見ているのは自分です。

そして**自分にはウソはつけない。**

だからこそ、人が見ていなくてもゴミを拾える自分になれるのです。

3章まとめ

◎ 人は「イエス」と言い続けると「ノー」と言いづらくなる。だからこそ、「イエス」を積み上げる会話をする。

◎ 相手の言葉になっていない感情を想像する練習をしよう。これができるようになると、相手の求めているものがわかるようになる。

◎ 反論も提案も、まずは相手の話を受けとめてからすること。

◎ 相手の承認欲求を満たしてあげれば同意を得やすくなる。と同時に自分の承認欲求も満たして、人と関わるのがイヤにならないようにしよう。

4章

心が動いて行動したくなる和田式話法の秘密

心が動く話法の秘密

「和田さんは心理学を学んだのですか？」と各方面から聞かれることが多いのですが、お話ししている方法は、基本的にすべて私自身の経験から編み出したものです。

しかし、その後心理学を学んでみたところ、私が自然に使っていたトーク法が驚くことに心理学的に理に適っていることがわかりました。それだけでなく、私なりにアレンジしていることもありました。

そこで、この章では「なぜ、この方法が人の心を動かすのか？」という根拠と理解を背景に、和田式の会話例を用いて説明していきましょう。

返報性の法則

「何かしてもらったらお礼をしなさい」と言われたことはありませんか？

また、「何かをいただいたらお返しをするのが礼儀だ」という認識を持っていませんか？

これは社会で生きていくうえでのマナーです。

このような、「人との関係を円滑にするために定着したルール」を、行動科学においては**「返報性の法則」**と呼んでいます。

2019年に総理主催の「桜を見る会」が話題になりましたが、もしあなたがそこに招待されてご馳走になったらどうしますか？

そこに「お返ししなくちゃ」という心理が働くのは、当たり前のことですよね。

私にこの法則が働くのはデパ地下の試食です。ついついつまんでしまったシュウマイ、チョコレート、お茶……。「じゃあ、これいただきます」と買ってしまったものは数えきれないほど（笑）。

ですが、この「返報性の法則」は、ものをあげることだけではなく、人を紹介する、人をほめるといったことでも同じ効果を期待できます。

この法則を使うコツは「先に与える」ということだけですが、最初から「これできっとお返しがくるぞ」と、変な見返りは期待しないほうがいいでしょう。もらったままの人もいますし、お礼をしない人もいます。

また、**見返りを期待して何かを先にギブする計算での「思いやり」には、期待が入ってしまいます。**すると、結果的に見返りやお返しがないとがっかりしたり「なんだ、あいつ。○○してやったのに」という恩着せがましい気持ちが生まれてしまって逆効果になってしまいます。

アメリカの心理学者 トラフィモウ・アーメンダリッツが400人の大学生を対象に、「人にしてあげた親切な行動」と「人にしてもらった親切な行動」を書き出させ、その割合を調べた調査があります。その結果、**人は「人にしてもらったこと」の35倍、「人にしてあげたこと」を覚えている**ことがわかったそうです。

私も「あんなによくしてあげて、お給料もはずんだのにひどい辞め方をされた」などとイヤな気持ちになることがかつては多かったのですが、きっと相手も「あんなにがんばったのに、評価されなかった」なんて思っていたのかもしれません。

お互いが「やってあげたこと」を35倍覚えていたら、こうなりますよね。

ですから、**変に期待せず、本当の思いやりをもって「あの人に喜んでほしい」という気持ちで日々行動するほうがいい**のです。

そうすれば、感謝の循環が起こってきます。

「多くの人に与えて生きている人は、多くのお返しをもらえることが多い」のです。

希少性の法則

東京・原宿にある有名スポーツブランド店の前には、よくずらっと並んでいる人がいるのですが、これは限定スニーカーの抽選に参加するためです。また、1年後まで予約がいっぱいのレストランの予約が取れたら、どんなに忙しい人でも予定を空けて行こうとしますよね。

このように、人気があってさらに「限定」という条件がつくと、「買ってください」「これいいですよ」などと営業する必要は一切なくなります。

それなのに話題になり、購入や来店できた人が勝手にSNSなどで宣伝してくれるのです。すごい効果だと思いませんか？

これが**「希少性の法則」**です。

「これ、あとひとつしかないんです」

「これは限定品なので世界で3つしか生産されていません」

などと言われると、人はやはり心が動きます。ですから、あちこちでこの言葉を目にするわけです。

ただ、すべての商品が限定スニーカー効果を発揮するわけではありません。

ですから、何でもかんでも希少性の法則を使えばいいというわけではないのです。

かつて私が語学学校の新人営業だったとき、上司から渡されたセールスマニュアルには、

「今月はあと1名だけ枠があります。今決めていただかないと埋まってしまうかと思います」

といったセリフがありました。

でも、私はこのセリフに抵抗があり、どうしても言えませんでした。

それがまったくのウソだったからです。

そのため、心の中に「あと何人でも入会できるのになあ……」とわだかまりが残ってしまう。そして、このわだかまりがあると言葉に力がこもらなくなり、伝わらないし、人の心を動かすこともできないのです。

逆効果だと思いませんか？


そこで私は、自分なりに言い方を変えて結果を出しました。

「正直に言いますと、クラスも先生も増えたところで、あと何人でも入会できます。ですから、実際は決めていただくのは、明日でも明後日でもかまわないんです。ただひとつだけ大事なことは、お客様の人生の大事な1日は、今日しかないということです。今日はもう二度とやってきません。明日になったら、今持っている〝やる気〟も〝ワクワクした気持ち〟も半減……いえ、なくなっている可能性のほうが高いんです。ですから、何より大事なご自分の人生のために、本当にやりたいことの決断

をなさってください」

あの頃は無意識でしたが、「今日は今日しかない」という究極の希少性の法則を、私は使っていたわけです。

バンドワゴン効果

「今、これがすごく人気あるんです」

「今一番人気があるのがこれなんです」

こんな言葉を聞かされると、つい興味が湧きますし、売り上げランキング1位などと書いてあるとつい手に取ってしまいます。

「たくさんの人が買っているということは、きっといいものに違いないよね」という心理が働き、いいものだという証拠を得た気になるので、やはり売れるのです。

私たちは、多勢に流されやすい生き物だということです。

そこで、この心理を大いに利用し、「これ、売れてます！」「人気ナンバーワンの商品です！」などと言って商品に興味をもってもらう営業の手法があります。

心理学で**「バンドワゴン効果」**と言われるものです。

バンドワゴンとは、先頭でパレードを引っ張る楽隊のこと。音を鳴らしながらバンドワゴンを引いていくと、みんなが後からついてきて、行列ができるということからついた名前です。

たとえば、コーヒーを売りたいとしましょう。

お客様に質問をしてコーヒーというものに興味を持ってもらうのに、

「○○さん、コーヒーが健康にいいってご存じですか？」

と言ったらどうでしょうか。食いついていただけるとは限りません。

「知りません」と、そっけなくかわされてしまうことだってあります。

そこで、バンドワゴン効果を注入します。

「最近、コーヒーって健康にいいって、たくさんの人がコーヒーを飲み始めているんですけど、○○さん、コーヒーが健康にいいってご存じでした？」

こう言ったらどうでしょうか。

「えっ？　そうなんですか。知りませんでした」

と返ってくると思います。

「多くの人が注目している」という言葉を聞いた瞬間に、「えっ？」と前のめりになる。自分も行列についていきたくなる。ついていかないと、自分がみんなから取り残されるような心理になるのです。

普通はただ「売れています！」というところを、バンドワゴン効果の応用としてこういう使い方を私はよくしていました。

このような応用は他にもたくさんありますが、たとえば将来の年金が不安な年代層に、年金に代わる商品を売りたい保険の営業ならこうなります。

■普通の聞き方

「年金のことでお悩みの点がございましたら、聞いていただきたいお話があるのですが……」

■バンドワゴン効果を入れた聞き方

「最近たくさんの方が年金のことを心配されてご相談にいらっしゃるんですが、〇〇さんも不安なところなどございますか？」

普通の聞き方では、「別に悩んでいませんから」と言われてしまうかもしれませんが、このように聞くと、「たしかに不安はありますね」と多くの人から返ってくるはずです。「あります」と返ってきたら、続けて伝えたい商品の話へとつなげるとよりスムーズになります。

和田式バンドワゴン法――「大さじ・小さじ話法」

バンドワゴン法は昔からある会話術なので、ご存じの方も多いかと思います。

和田式バンドワゴンはこれに少しアレンジを入れて、相手がより「はい、そうですね」と答えやすいようにしています。名付けて**「大さじ・小さじ話法」**です。

たとえばこんな感じです。

「以前に比べたら、年金のことで質問される方がかなり増えているんですよ。○○さんはあまりそういうご心配はされないかもしれませんが、少しぐらいはご心配になったり、お考えになったことがございますか？」

バンドワゴン効果を狙った「かなり増えている」という言葉。それに加え、3章で説明した「小さじ法」と組み合わせています。

「かなり」と「ちょっと」の対比の言葉を使うのです。そうすることで「そうですね」と言ってもらいやすくなります。

「年金のことでお悩みですか？」ではなく、「少しぐらいはお悩みですか？」と聞くわけです。

人はどんなことも「少しくらいは」気にしているものです。しかも「多くの人が……」と言われたことに関しては、なおさらです。

ですから「大さじ・小さじ話法」を使うと、ほとんどの人から「そうですね、少しは」とか「少しは考えたことがあります」と、イエスに近い返事が返ってくるのです。

ほとんど「イエス・セット法」ですが、私は営業時代、まさにこれでイエスをもらっていました。

「最近、多くの人が職場の人間関係で悩んでいるみたいだけど、○○さんもちょっとくらい悩んだことはある？」

これが和田式「大さじ・小さじ話法」です。

ちょっとした工夫ですが、相手の心にスッと言葉をしみ込ませるコツの一つです。

人に影響する言葉は「メタファー」にある

「この契約書は私にとっては同意書です」

私が営業をやっていたとき使っていた言葉の数々には、このようなかなり比喩的な表現が多くありました。

そこには「今日、私がお伝えしたことに同意をしていただくような気持ちになるからです。何かを契約したという事実以上に同じ気持ちになって未来にワクワクできた証なんです」という説明が加わることもありましたが、このような意味合いを言葉に含ませることによって、**契約という固いイメージが変わる**ことを実感していました。

このような比喩のことを、まとめて「メタファー」と言いますが、人を動かした比喩表現は世界中にたくさんあります。

たとえばトランプ米大統領。２０１６年の選挙演説では、「政府の汚職をなくす」

という言葉に「首都ワシントンにたまったヘドロをかき出す」というメタファーを使って、有権者の心を動かしました。

また、イエス・キリストは「私は、世の光です。私に従う者は、決して闇の中を歩むことなく、命の光を持つのです」(新約聖書)というメタファーを用いています。

世の中はメタファーの洪水なのです!


メタファーを普段から使っていると、何気ない日常会話にも落とし込むことができます。

先日、とある企業の代表と話している際、

「僕は大事な人が亡くなってから、その人の分まで、つまりは2倍がんばろうと思ってやってきた。でも、やっているうちにいつしか2倍やっている感覚がなくなって、それが自分のデフォルトになったんだ」

と言われました。そこで、

「それって、がんばって2倍のスピードで走っていたら、いつしかその速さが当たり前に出せるようになったような感じですよね?いえ、いつも2倍食べていたら、いつしか胃袋が大きくなってその量を普通に食べられるようになった感じですね」

こう私が言うと、「そうそう！」と同意してもらえました。

こんな表現でいいのかは別にして（笑）、このように会話の中で比喩を意識して使ってみてください。

「ボキャたとえば力」を使う

比喩を使って話をするには、**「たとえば○○のように」**という言い回しを普段の会話の中に取り入れてみましょう。

私はこれを**「ボキャたとえば力」**と名付けて、セミナーなどで練習してもらっています。

たとえば、映画を観た感想なら、

感動した↓見終わったあと涙が止まらなかった
面白かった↓買ったポップコーンを食べるのを忘れてた

というように言葉を変換してみるのです。

また、私が普段から小説を読むことをオススメしているのも、比喩やたとえ話のボキャブラリーが増えるからです。

「私のヘア・スタイル好き？」
「すごく良いよ」
「どれくらい良い？」と緑が訊いた。
「世界中の森の木が全部倒れるくらい素晴しいよ」と僕は言った。

（『ノルウェイの森』村上春樹／講談社）

もちろん、こんな高度な比喩を使った会話はなかなかできないとは思いますが、とにかく映画や小説の気に入ったフレーズをメモするなどして、多くの表現を自分の引き出しに入れておくことで、普段の会話に表現の色がつき始めます。

いろいろな営業話法がありますが、
大事なのはノウハウではなく、相手の気持ちです。
気持ちが動かなければ、体は動かない。
気持ちを動かすためなら、
話が脱線したっていいんです。

わき道話法であえて脱線する

会話は、お互いの主観が混じり合って脱線していくもの。ですから、わき道にそれてしまうことを恐れなくてもかまいません。

「今日は○○の話をする！」とあらかじめゴールを設定できているのであれば、脱線して心をゆるめることが必要なシーンもあります。

私も**本題に迫りすぎて堅苦しくなったり、空気が重くなったと感じるときは、あえて脇道にそれて会話をゆるめます。**

そのほうが肩のこらない会話になるし、親近感も湧いてくるのです。

歌手で俳優の星野源さんがくも膜下出血で倒れたとき、頭に穴を開けるとても難しい手術をすることになったそうです。その際、主治医の先生がすばらしい脱線トークで星野さんのハートをつかむシーンが、星野さんの著書『よみがえる変態』（文藝春秋社）に書かれています。

しかしそこから、いかにこの手術が難しいかの説明が始まった。（中略）手術時間が長くなると、血が行かなくなった脳の一部が死んでしまう（頭がおかしくなってしまう）。（中略）

詳しいことはわからないが、確かに大変そうだ。怖い。本当だったら不安のどん底に陥り、涙の一粒でも出ようものだが、そうはならなかった。説明をしながら、K先生は唐突に違う話をしはじめた。

ちんこの話である。

重たい脳の話題から、気がつけば話は脱線し、「誰か死んだフリをしていても、ちんこを見ればどれくらい脳が生きているかわかる」的な、いわば学術的下ネタになり、後ろの女性看護師がクスクス笑う中、私はいつの間にかK先生の話に爆笑させられていた。

生きるか死ぬかの深刻な話に合間に、脱線を繰り返して説明されたK先生は、その後、希望も少なくリスクがいかに高いかを説明して、しかし最後は「断定」します。それも目を見て自信たっぷりと。

K先生は私の目をじっと見て言った。

「でも私、治しますから」

予想外の言葉だった。

「最後の最後まで、何があっても絶対に諦めません。見捨てたりしません。だから一緒に頑張りましょう」(同掲書より)

そして星野さんは「この人になら殺されてもいい」と手術を決断したのです。

このK先生という方は日本でも有名な脳外科の執刀医なので、言葉以上にその技術が優れていることは言うまでもありません。

ただ、その技術だけでなく、不安を軽減し信用を勝ち取っていく圧倒的なすごい話し方が、この先生の最大の能力であり、魅力です。

どんなに技術があっても、人の心を動かすことができなければ、癒すことも

笑わすことも、安心させることもできないのです。

K先生の話し方は空気づくりに脱線力、そして後でご説明する断定話法、すべてが調和した見事な「人の心を動かす話し方」です。

ときには脱線が大事とは言っても、そう簡単に会話を脱線することができない人もいるかと思います。

そんなときこそ**「わき道脱線話法」**です。

「そういえば」を使う

「そういえば、この前、中学校の同窓会で……」

「へえ～、すごいね」(しばらくこの話題)

「そういえば、○○の会社って人事異動はあったんだっけ？」(しばらくこの会話)

「そういえば昨日カレーだったよね。今日は何食べる？」

こんな感じで脱線しつつ会話を終える話法、あなたも普通にやっていませんか？

「そう言えば……」と言って、話をちょっとそらすのです。

「そういえば最近ツイッターで○○の映画のことをつぶやいてませんでしたか？　あれを聞きたくて！　思い出しました」

「あー、あれ。そう、すごくつまらなくて……（笑）」

「えー！　観ようと思ってたのに。何がどうつまらないんですか？」

と、盛り上がってから、

「あ、話がそれちゃいましたね。で、本件ですが……」

と元に戻すことによって、心が左右に動いて楽しくなってくるのです。

相手の背中を押す話し方

断定話法で、スパッと言い切る

「これ、すごく欲しいけれど……どうしようかな。高いかなあ。でも欲しいなあ」という状態のとき、私はぐっと背中を押してくれる言葉をもらえると嬉しくなります。

その言葉が「あなたの選択は間違っていませんよ」という意味合いを持つので、勇気が湧いて決断しやすくなるのです。

そこで私はプレゼンのときなど「ここぞ」という段階に使う言葉として**「断定話法」**を選んでいます。

「黒と白、どっちがいいでしょうか？　迷っていて……」

というお客様がいるとしましょう。ここで、

「そうですね、黒もいいし白もいいですね。あ、オレンジもあるんですけど、全部いいですよね。白も黒もお似合いだったし、迷いますよね～」

と、店員まで悩んでいると、お客様は決めることができなくなります。

これを「断定話法」に変えると、

「余裕があれば両方お持ちになるのがベストですが、どちらかというのなら、顔周りが明るくなるので白がいいと思います。なによりとってもお似合いでした」

とスパッと言い切ることになります。

断定話法はこんなふうに、「これでいきましょう！」と文字どおり、ストレートにきっぱりと断定する話し方です。

では、もし友達が「最初はやりたい仕事ができそうなA社がいいと思っていたんだけど、B社の話を聞いてみたら会社の雰囲気がよさそうで、正直迷っているんだよね……」と言ってきたら、なんと返しますか？

「うわ～、どっちも捨てがたいよね。Aはあなたのやりたいことだし、Bは待遇がいいよねえ。う～ん、悩むね～」

と、あなたも一緒に迷ってしまうよりも、

「私はA社がいいと思うよ。だって、ずっとそういう仕事がやりたいって言っていたじゃない」

「やっぱりそうかな」

「そうだよ、〇〇さんが行けば会社の雰囲気だって変えられるし、好きな仕事ならお給料だってすぐに上がるよ」

「そうだね、ありがとう」

という会話展開のほうが、結論が早く、相手の気持ちもいい方向に持っていくことができます。


〝人の心を動かす〟とは、その言葉が次の何らかの行動につながるという意味です。

だからこそ、相手が優柔不断になっているときは、それにとことんつきあうのではなく、スパッと決める手伝いをするのです。

しかし、「言い切りなんて、ちょっと強引じゃない？」と思う人もいるかもしれません。

でも、**断定話法は決して強引な言い回しではない**のです。

人は自分の意思で決めるより、人に決めてもらうほうがはるかに楽なところがあります。

先ほどもお話ししたように、誰かが「いいよ」と言っているものに、人は影響されやすいもの。買い物をする前にも、決断の際にレビューをチェックするのが当たり前になっていますよね。だからこそ、インスタグラマーなどＳＮＳが流行するのです。

多くの人にとって、決断の後押しになるのは「誰かの意見」なのです。誰かが「これでいきましょう！」と背中を押してくれるのを、どこか待っているような心理が、私たちには少なからずあるわけです。

不安を取り除く。迷いをふっきる。

断定話法にはこうした効用があって、結果的に営業もうまくいきます。

そうだとしたら、使い方さえ間違えなければ、お互いがハッピーになれる話法なのです。

類推話法＝「人の力を借りまくれ」

何度も言うように、私たちは人の意見に流されやすいのですが、そうは言っても、断定話法では効果がない場合があります。

たとえば、先ほどの友人から転職を相談される場合の会話。先ほどのケースでは、相談された友人が断定して背中を押しましたが、断定したその人物が仕事をしたこともなく、したとしてもすぐに辞めてしまう人だったらどうでしょう？

いくら断定されても言葉に説得力がないので、「お前に言われてもなあ……」という心理が生まれ、決断を促すまでにはいたらないでしょう。

こういったときは**「類推話法」**を使えばいいのです。

「類推話法」は、第三者の意見を使って断定する方法です。

「ほら、スティーブ・ジョブズが言ってたの覚えてる？『もし今日が人生最後の日だとしたら、今やろうとしていることは本当に自分のやりたいことだろうか？』ってやつ。私、優柔不断でよく意味のないことで悩んでしまうから、この言葉が刺さるんだよね〜。そして思い出すたびにちょっと行動が変わったの。だからジョブズの言うように、やりたいほうを選んでいいんだよ」

第三者の言葉や意見は素直に聞きやすいですし、それが偉大な人であれば反論もしづらいので、「そうだよね」と決断を促しやすくなるのです。

自分の中に、心に響いたフレーズをいろいろと残しておくと、後々使えますよ。

ところで、本書でも意識的に類推話法を使ってみています。お気づきになりましたか？

「振り幅」トークで心を動かす

２０１５年９月19日、第８回ラグビーＷ杯日本代表が南アフリカに勝った瞬間から、多くの人がラグビーのとりこになりました。

その後、ラグビー熱はどんどんヒートアップし、２０１９年、日本で行われた第９回Ｗ杯では、テレビの最高視聴率49％となりました。日本人のほぼ半数が同じ時間にラグビーを観戦していたわけで、これはＮＨＫ紅白歌合戦を上回る数字です。

でもなぜ、ここまで私たちは熱狂したのでしょうか？

ラグビーがどんなスポーツか知らない人（私含め）が、スポーツ観戦に今まで見向きもしなかった人たちが、なぜあんなにも？

ここでその答えを見つける前に、あなたが今まで生きてきた中で、**「すごく感動した！」**というシーンをいくつか、できるだけ具体的に、鮮明に思い出してみてください。

どうですか?

思い出してみると、すべてではないかもしれませんが、多くのシーンでひとつの法則があることに気づきます。

それは、

「ネガティブな想像がポジティブになった大逆転のシーン」

である点です。

話に振り幅をつけると「心の振り子」も動く

ラグビーに話を戻しましょう。

日本代表は2011年の第7回までW杯でわずか1勝のチームでした。一方、南アフリカ代表といえば、2回も優勝をしている強豪国です。

ですから、多くの人は「勝利」を期待していませんでした。つまり奇跡が起こったのです。

想像もしていなかったことが起こったときには、そこに大きな「振り幅」があるはずです。

心の振り子が大きく左右に「動く」――それが心が動く瞬間です。

相手の心を動かし、感動してもらいたいのであれば、「振り幅」を作ることです。

たとえば、

「私は幼い頃から夢だったドクターになれました」

と言うよりも、

「私は小さい頃体が弱く、何度も大きな手術を受けたので、20歳を超えるまでは生きられないと言われていました。でもそれを乗り越えて、夢だったドクターになれたのです」

と言うと、ここに大きな「振り幅」が生まれます。

このように、**一旦マイナスに引っ張ることで、心を動かす話し方ができる**のです。

これを私は**「振り幅トーク」**と名付けています。

2章でプロフィール効果の説明をしましたが、プロフィールを公開している方の中にも、この「振り幅トーク」を使って、より印象を強くしている方がたくさんいます。

私の友人でもある菊原智明さんは、同じく営業本を60冊以上出している方ですが、彼のプロフィールには、

「ダメ営業マン時代を過ごし、クビ寸前だったが、『営業レター』をきっかけにトップ営業マンとなる。全国ナンバー1営業マンとなりMVPを獲得、4年連続トップ営業マンとして活躍した」

とあります。

「ダメ営業マン時代を過ごし、クビ寸前」というマイナスから、「全国ナンバー1営業マン」……。大きな振り幅ですよね。

結局大事なのは「あなたのため」という気持ち

話法にプラスするものは？

　ここまでにご紹介した話法は、私が営業をしていたときに「人ってどんな言い方をしたら心が動くのかな？」と考えながら作ってきたものです。

　言い方ひとつで相手の心の動き方が変わるなんて、すごいと思いませんか？

　でも、誰もがこのノウハウを使えば同じ結果になるかというと……実はそうでもないのです。

　なぜかというと、嫌いな人に言われても心は動きませんし、「この話法で相手をコントロールしてやろう」といった上から目線的な心理があると、なんとなく相手も察して空気が変になるからです。人柄が会話に見え隠れするわけですね。

私のやり方は確かにノウハウかもしれませんが、決してコントロールしてやろうと思っているのではなく、

「どうやったら相手が心地よくなるかな?」
「どうやったら勇気が持てるかな?」
「どうやったら会話を楽しんでもらえるかな?」

という気持ちを持っています。

私は結局のところ、ノウハウよりもここがいちばん大事な気がしています。

4章まとめ

◎ 心理学で言われているトーク法は、少しの工夫を加えると効果アップ！

◎ 比喩を使うと人の心に響きやすくなる。

◎ 本題ばかりでは空気が重くなるので、ときには脱線も必要。

◎ 相談されたら一緒に迷うのではなく、断定した答えを言うほうが相手が楽になる。

◎ ノウハウよりも大事なのは、「どうしたらこの人が楽しく、幸せになれるか」という「相手のため」の気持ち。

5章

次につながる人間関係を築く会話術

結果がどうであろうとも、
自分都合の感情はいっさい捨てて、
自分のために時間をつくってくれた相手に
感謝すること。
それは結局、自分のためになるのです。

何か動かしたいなら「次回」を意識する

私は営業の世界にいたので、そこでの経験がすべてに生かされています。

だから私がお伝えする話し方はうまいとかへたといったこととは、ちょっと違っていて、

「とにかくどうしたら好かれて信頼されるか？」

「どうしたら相手のことがもっとわかるか？」

「相手がワクワクする未来の提案は何だろう？」

ということが会話の中に入ってきます。

だからこそ、一度お会いしたときに商談が成立しなかったとしても、**「もう一度会いたい人だな」**と思ってもらえることがとても重要だったのです。

「ノー」でも「感謝」を忘れないようにする

みなさんには二度と会いたくないと思う人はいませんか？

特に、一方的に自分の主張をまくしたてるような人は嫌悪感を抱かれます。

そうなったら、決して次はありません。

ですから、私は相手と「さようなら」をするときの余韻を大事にしています。


自分の気持ちが伝わらなかったりしたときや、お願い事を断られた後に露骨にがっかりしたり、急に早口になったり、断られる前と態度が変わってしまったりするのは、完全にＮＧです！

求めた結果にならなくても、**「相手の方が時間をつくってくださった事実」**に目を向けます。

相手はあなたの説明を聞いている時間に映画も見られたし、早く寝ることもできたわけです。

だからこそ、**感謝しかない**のです。

「後味よく、ハッピーエンドで、せめて会えてよかったと思ってもらいたい」

ということを必死に考えてみてください。

そして、ありったけの心をこめて、こう言います。

「今日、お時間をつくっていただき、本当にありがとうございました」

「えっ？　それだけ？」と思われるかもしれませんが、ありったけの心を込めるというのは、１００％そう思っていないと伝わらないものなのです。

「こんなに頼んだのに、なんでやってくれないの。ひどい！」

「私がどうなってもいいんだ。ひどい人だ」

といった**自分都合の感情が1ミリでも入ると、相手にもそれは伝わります。**

簡単なことのように思えるかもしれませんが、とても大事なことなのです。

これからの未来の話をしよう

「未来会話」が行動まで変える

唯一、人間だけが未来について考える――。ハーバード大学心理学部教授のダニエル・ギルバートさんはこう言っています。

「え？　リスも未来のために餌を蓄えるのでは？」と思うかもしれませんが、それは季節の温度変化などによって本能がそうさせるだけだそうです。確かに、たとえば犬は「健康のために痩せなきゃ」と未来の心配をして、おやつのビスケットを我慢し糖質カットに勤しむなんてしませんよね。

しかし、人はただ未来を考えているだけではなく、未来を考えるからこそ「こうなりたい」という欲望を持ちます。

そして、これこそが**人の心が動く原動力**なのです。

ですから、人の心を動かし行動を変えていくためには、未来の欲望、つまり「こうなったらいいな」を語ることにつきます。

ワクワクした気持ちになってもらって、これからの自分の未来を自分の選択によってつくり出すお手伝いができる――。これが**「未来会話」**のすばらしさです。

「未来はどうなりたいですか?」

という漠然とした質問から、想像をふくらませてもいいですし、

「もっとキレイになって理想の相手を見つけよう」

「英語を話せるようになって海外で働いてみよう」

など、モチベーションを上げてやる気を出してもらう言葉にもなります。

ただ、未来の話にはこのように〝ワクワク〟できる話もあれば、不安を煽って〝ビクビク〟させる話もあります。

実のところ、ネガティブ本能を持っている人間は、後者のほうが行動に影響することが多いです。

新しい感染症が伝えられるとマスクを買い占める人が出てきて、売り切れ店が続出しますよね。これは、「なんとか危険から身を守りたい」という意識がそうさせるわけです。

「今は2人に1人ががんになってしまう時代です」と言われたら、「保険に加入しておこう」となりますし、「近い将来大きな地震が来る」と言われたら、防災グッズや水などを絶えず保管して、そのときの未来に備えます。もちろん、私もです。

親が子どもに「勉強しないと、将来困るよ」と言うのも同じこと。

ビクビクすることで、人はそのリスクをいかに軽減できるか考えて行動するのです。

「退院したら旅行に行こうね」

このように〝ワクワク〟と〝ビクビク〟を語ることで、人の心は動かせるのですが、私はできる限り〝ワクワク〟を話題にしたいと思っています。

〝ワクワク〟は、人にとって「希望」だからです。

未来はまだ現実には起こっていません。

終わったことをクヨクヨするよりも、ワクワクする未来の話をしたほうが、それが現実になるかどうかは関係なく、人は今、幸せになれます。

そして、生きるべき道が見えて、行動が変わるのです。

私の母は、私が20代のときに医療ミスで亡くなりました。

手術後、管だらけになって意識がない母の耳元で、私が何度も言った言葉は、「退院したら旅行に行こうね」

でした。

実は母を香港に連れていく約束をしていたのです。

意識のなかった母に、その言葉が聞こえたのかわかりません。でも、「元気になってね」とか「がんばって」という言葉よりも、未来の話をすることが私にとっての何よりの希望だったのです。

残念ながらその未来をつくることはかないませんでしたが、「こんな未来をつくりたい」「きっとこんな未来が来る」というイメージが共有できたとき、人は「一緒に生きよう」という思いを抱けるのです。

それが、人の「生きる力」となります。

ワクワクする未来をつくる

あなたはどうなりたいですか?

たどり着きたい未来はどんな場所ですか?

どんなふうな生活をして、どんな人と関わっていたいですか?

「どうせ無理」「私なんて」と勝手に未来の可能性を閉じないで、どんどんワクワクするような未来をイメージしてください。

可能性が低いと思っても、それはゼロではありません。
今、他人より劣っていても、それは今だけのことかもしれません。
それが「未来」です。

到底かなわなそうなことを言葉にして誰かに伝えるには、とても勇気が必要です。
もしかしたら、恥をかくかもしれません。
けれど、**幸せに生きる秘訣は「今をワクワクすること」**なのです。

L・M・モンゴメリの有名な小説『赤毛のアン』に、こんな名言があります。
知っている方もいるでしょうし、聞き飽きているかもしれませんが、私にとって何度読んでも心が動く言葉なので、あえてここに載せておきます。

「何かを楽しみに待つということが、そのうれしいことの半分にあたるのよ。（中略）そのことはほんとうにならないかもしれないけれど、でもそれを待つときの楽しさだけはまちがいなく自分のものですもの。

あたし、なんにも期待しないほうが、がっかりすることより、もっとつまらないと思うわ」

（『赤毛のアン』村岡花子・訳／新潮社）

あなたのワクワクすることをいつもたくさんイメージして、誰かに伝えるようにしてください。

そのワクワクした気持ちが相手に伝わると、相手もどんどん楽しくなります。

それがどんな小さな可能性であっても、一緒にワクワクして、心が踊るように動きますよ。

未来を広げて語ってみよう

「ふくらましトーク」でもっと価値を上げる

未来を語るときに、さらに**想像をふくらませて、プライスレスな価値を感じてもらう**こともできます。

それが、私が営業時代に世界2位になれた秘訣のひとつ、「ふくらましトーク」です。

これは同じお金を出して買うのなら圧倒的に得して、お客様に「なんていい買い物したんだろう」と自分の行動を肯定していただけるようにやっていたことです。

実際に私はこのトークをするのが好きで、ワクワクしてしまうのです。

たとえば、私の「人に好かれて人を動かす話し方教室」に通ってもらう場合なら、私はこう言います。

「話し方で人に好かれたらどうなりますか?

もっと人付き合いが増えて、人気者になって、仕事の評価も上がります。お給料も増える可能性があります。もちろん、今まで以上にモテます。

だって、あなたと会話するだけでどんどん幸せになるんですよ。

話し方を身につけるということは、そんなプライスレスな財産をこれから死ぬまでずっと持つことになるのです。

プライスレスと言いましたが、これ、値段にしたらいくらだと思いますか?」


同じお金を出して学んでもらうなら、価値を感じてもらったほうが「なんて得なんだろう」と思ってもらえます。私はみなさんにどんどん得してほしいのです。

さらに言うと、これは決してオーバートークではありません。本当に手に入る可能性があるからです。

相手の得を説くことが「説得」となる所以(ゆえん)は、まさに「ふくらまし」にあると思っています。

この「ふくらましトーク」については、拙著『成約率98％の秘訣』（かんき出版）という本で詳しく説明しているので、そちらも読んでいただけるとありがたいです。

相手のモチベーションを上げるには？

多くの人は、期待されたらできるだけその期待に応えようと行動します。

ですから、人のモチベーションを上げるには、とにかく期待してそのような言葉をかけることが大事です。

ただ注意点があって、親の期待に応えようとするあまりに自分を見失ってしまう子どもたちのように、自己評価が極端に低い人は期待が大きなプレッシャーとなってつぶれてしまうこともあります。

ここはあくまで、

「期待はするけれど結果は求めない」

つまりは、

「期待という信用をする。しかしあとは本人次第」

という「見返りはなし」のスタンスで話をします。

人間は期待すると、期待値どおりに行動するようになるというのは、教育心理学で**「ピグマリオン効果」**と呼ばれるもので、アメリカの教育心理学者ロバート・ローゼンタールが唱えたものです。

実際、教師が期待して指導した小学生と期待しなかった小学生では、知能レベルに違いはなくても、成績が違ってくるという結果が出ているそうです。

つまり、**応援されたほうが人はがんばれる。**

何か行動を起こす気になってもらうためには、相手の背中を押してあげる、応援する言葉を言うことが有効だということです。

相手にワクワク感を与えることは、ハッピーな気持ちにつながるというわけです。

「○○さんが素敵だから、こういうものを持ってほしい」

「○○さんはきっと結果を出せる人だと思って、私は期待しているんです」

こんなふうに言われたら、相手のモチベーションは上がります。

伝わらないと動かない

あるとき講演会で、

「セールスの現場で電話営業をしたとき、切られてばかりでめげてしまったんです。

でも、百人一首の〝坊主めくり〟だと思って『姫が出てくるまでめくろう』とゲームのように向き合ったら楽しくなったんです」

という話をしたら、20代の方から、

「坊主めくりって何ですか?」

という質問をいただいてしまいました。

ああ、**言葉って生活が変われば、同じようにどんどん新しく変わっていくんだな。**

伝わる言葉を選ばないと……と、つくづく反省しました。

この話だけだと、「それって年齢を重ねたら仕方ないことじゃないのかな?」と思うかもしれませんね。

では、以下の専門用語をふんだんに使った言葉は、あなたに伝わりますか?

――弊社はクラウドファースト、モバイルファースト等、時代の潮流に合わせたアプリケーションの開発と、レガシーアプリケーションのモダナイゼーションを実施し、実績あるロードマップの策定などのソリューションを提供しております。

ITに詳しい人向けとして使われているようですから問題ないのかもしれませんが、プレゼンなどでこんな話をしたら、「?」となる人は多くいると思います。

正しい言葉を使っても、伝わっていなければ心が動くはずはありません。

売れているお笑い芸人さんや、流行っている漫画のセリフなどを見ると、「どんな人でもわかる言葉」を意識的に選んでいるのがわかります。

ときにはキャラ設定の都合であえて難しい言葉を使っている場面もありますが、その場合は、たいていその意味が伝わるような工夫――他の人が「それ、どういう意味?」と聞くなど——をしていることが多いのです。

伝わる言葉で話しているか、自分のよく使う「単語」は難しくないか、専門的すぎないかなど、今一度チェックしてみてください。

難しい言葉を使った場合、聞いている相手はたいてい「わからないと言うのが恥ずかしい」と思うので、知っているような顔をして聞いています。

でも、言葉がわかっていませんから、それはまったく伝わっていないのです。

自分のことを賢く思ってもらう目的があれば別ですが、それ以外は分解して違う言葉にするか、「この意味は……」と説明を入れ込みましょう。

言葉の連想ゲームをしよう

よく講演会のあと、「和田さんの話はすごくわかりやすいです」という感想をいただきます。

それは私が難しい言葉を知らないだけ……という無知さが功を奏した結果でもある

のですが、実は私の話し方の「ある癖」が、さらなる効果を生んでいるのです。

これは私が外資系の会社で、英語で仕事した経験から生まれたものです。

私は海外留学をしたわけではないので、英語で仕事をするのはとても大変なことでした。

「これ、どうやって伝えたらいいんだろう?」と単語がわからないことが多発。

そんなときは、言葉の背景を説明して伝えるしかありません。

たとえば「コーヒー」という単語が出てこない場合は、「ほら、黒くて温かくて苦い飲み物」というように、**見た目、色、匂いなどのその単語が持っている背景すべてを説明する**のです。まるで連想ゲームですね(笑)。

これは違う国の人と話す場合に大いに役立ちますが、日本人同士でも必要なシーンはたくさんあります。それは、

- **年齢が離れた人**
- **生活環境が違う人**

・過去の経験が違う人

などと話すときです。

これを癖にしておくと、自然にわかりやすい説明ができるようになります。

たとえば**普段から、「〝オリンピック〟を知らない人に何と伝えるか？」などを考えておく**と、伝わりやすい語彙が自分の中に蓄積されて、どんどんわかりやすい話し方ができるようになります。

この伝え方は、202ページでご紹介した「メタファー」を使うことと似ていますので、セットでやってみてください。

終わりよければすべてよし!

なにより大事な「伝える気持ち」

本書では、空気づくりから始まってテクニック的なことや技術的なことも織り交ぜて書いてきましたが、実はもっとも大事なことは他にあります。

それは、**「言葉を使って伝える努力を絶え間なく続ける」**ことです。

「こんなことまで言わなくてもいいよね」と言葉を飲み込んでしまう人もいるかもしれませんが、**人間関係がうまくいかない理由の一番は「話し合ってないこと」**。

メールやLINEで済ませたほうが楽だと思う人もいるでしょうが、人と膝を突き合わせて、顔を見てお互いの温度を感じながら話し合うことで、人はもっとわかり合え、相手を受け入れることができるのです。

「言わなくても察してほしい」なんて、ただのわがまま。

以心伝心はそう簡単にできるものではないことを忘れないでください。

ハッピーエンドで会話を終える

そして、さらにもうひとつ大事なことがあります。

それは、会話をして別れるときは、できるだけ心をこめて「ありがとう」と言うこと。

たとえ何かをお願いして断られたとしても、ムスッとした顔で「じゃあいいですよ」なんて言わないで、「ありがとう」と言いましょう。

お互いの時間を与え合ってともに過ごせたことに、ちゃんと笑顔で心を込めて「ありがとう」と言うのです。


「ありがとう、楽しかった」

「ありがとう、聞いてくれて」

「ありがとう、また会おうね」

その後の関係はどうなるかわからないけれど、最後に「ありがとう」で終われば、後味の悪い会話にはなりません。

ハッピーエンドで終わることが「もう一度会いたい」につながるのです。

5章まとめ

◉ 自分のワクワクする未来を相手に語れば、相手も一緒にワクワクする。その共有が行動を変える。

◉ 未来を広げて語ることで、プライスレスな価値が加わる。

◉ どんなときでも笑顔＋「ありがとう」で会話を終えること。ハッピーエンドが「次」をつくる。

◉ 一番大事なのは「言葉で伝えようとする努力」。どんなメールよりも人の心を動かすのは直接話すことだと肝に銘じよう！

まだ終わらない「おわりに」

さて、この本もいよいよラストです。


普通ならここで「おわりに」を書いて締めに入るところなのですが、「人の心を動かす話し方」というテーマなので、なんとなくここで締めたくない気がしています。

つまり、いつもならここで実感する「あ〜、読み終わった〜」という読了の達成感を、なるべく感じないでほしいわけです。

「え、なんで？」と思われるかもしれませんが、実は人は、どんなことにおいても「完了」のボタンを押してしまうと、脳が「それは終わったこと」という処理をしてしまうそうです。すると、頭に入ったこともどんどん忘却の彼方へ……。

なんともったいない！


あなたも、思い当たることがありませんか？

難しい試験に向けて大量に暗記しても、「終わった」という認識が生まれた瞬間にすっかり嘘みたいに忘れてしまったり……。

1冊脱稿して「あ〜、終わった！」と思ったら、後で「いったいどんなことを書いたんだっけ？」となかなか思い出せないとか……（これは私のことです・笑）。

けれど、逆に**「まだ終わってない」という意識があれば、人はその物事に「未完了」のシールを貼ります。そしてそれが貼ってある間は、記憶が継続される**のです。

これは「ツァイガルニク効果」と言われ、女性心理学者・ツァイガルニクさんが提唱したもの。

人はやり遂げようとする際、「終わらせる機会」がなかったときのほうが注意を向けたままになるのでしっかり記憶しやすいというもので、研究結果も出ています。

ですから、お互いの未来のために、ここは「締めない」こととしましょう（笑）。

本書の内容を実践してみて、

「やってみたけどわからなかった」「書いてあるのとは全然違う反応の人がいた」な

ど、いろいろなご意見をぜひ教えてください。
（ご意見は support@wadahiromi.com までお願いします）

続きをみなさんと一緒に作れたらと思います。
いいえ、もしかしたら新しい本を一緒に作ることができるかもしれません。
そう考えただけで、これから続く未来にワクワクしてきます。

ちなみに、逆に「終わった」と完了ボタンを押せば、意識から外れるという効果があります。ですから、イヤなことや忘れてしまいたいことにはどんどん「完了ボタン」を押して、前に進んでくださいね。

ということで、本書を読んでいただき、本当に本当にありがとうございました。

To be continue.（ご縁は続くよどこまでも……）

和田裕美

いろんな角度の和田裕美があります。ぜひ参加してみて下さい。

読む！

メールレターが無料で届く！
日刊 ワダビジョン

毎日届く「気づきのエッセンス」
世界 No. 2 セールスウーマンの視点が
自然と身につくヒントが満載！

special.wadahiromi.com/mailmagazine

フェイスブックとか他のどの媒体よりもメルマガに一番エネルギーを注いで、書いていますのでセールスレターの書き方を学んだりしたいなら、無料で実践的です。
気付くかわからない
微妙な言葉使いに
「クロージングエキス」
が入っていますよ。

読む！

毎朝を元気にスタートさせる！
LINE 公式アカウント

3000人以上が登録中！
和田語録で、その日の
やる気をいっぱいに！

読む！

和田裕美の ON・OFF がみれる
twitter @wadahiromi

和田裕美の今！
直接繋がれるチャンスも！
気軽にフォローください！

見る！ 聞く！

YouTube

和田裕美の『人生 100 年時代』を生き抜くスキル

学ぶ！

http://powerschool.tokyo

会員限定の週１動画
月１シークレット音源
週１メルマガが
和田脳を身につける！

和田裕美の会員制スクール
パワースクール！

株式会社 HIROWA
〒150-0001 東京都渋谷区神宮前 6-35-3 コープオリンピア 530
TEL 03-6459-4128 http://wadahiromi.com

装丁◉萩原弦一郎（256）
カバー・本文イラスト◉福田玲子
本文デザイン・DTP◉桜井勝志
編集◉飯田健之
編集協力◉大西華子
松山久

人の心を動かす話し方

2020年6月19日　第1版第1刷

著　者　和田裕美
発行者　後藤高志
発行所　株式会社廣済堂出版
〒101-0052東京都千代田区神田小川町2-3-13M&Cビル7F
電話 03-6703-0964（編集）　03-6703-0962（販売）
FAX 03-6703-0963（販売）
振替00180-0-164137
URL　http://www.kosaido-pub.co.jp

印刷所
製本所　株式会社廣済堂

ISBN 978-4-331-52169-4　C0095